VALDELENE NUNES DE ANDRADE

MEDICINA E ESPIRITUALIDADE
A IMPORTÂNCIA DA FÉ NA CURA DE DOENÇAS

EDITORA
SANTUÁRIO

Direção Editorial:	Pe. Fábio Evaristo Resende Silva, C.Ss.R.
Editor:	Avelino Grassi
Conselho Editorial:	Pe. Ferdinando Mancilio, C.Ss.R.
	Pe. Mauro Vilela, C.Ss.R.
	Pe. Victor Hugo Lapenta, C.Ss.R.
Coordenação Editorial:	Ana Lúcia de Castro Leite
Copidesque:	Luana Galvão
Revisão:	Ana Lúcia de Castro Leite
Diagramação e Capa:	Mauricio Pereira

Dados Internacionais de Catalogação na Publicação (CIP)
(Câmara Brasileira do Livro, SP, Brasil)

Andrade, Valdelene Nunes de

Medicina e espiritualidade: a importância da fé na cura de doenças / Valdelene Nunes de Andrade. – Aparecida, SP: Editora Santuário, 2015.

Bibliografia.
ISBN 978-85-369-0400-9

1. Cura pela fé 2. Cura pelo espírito 3. Fé e razão 4. Medicina I. Título.

15-08951 CDD-291.175

Índices para catálogo sistemático:
1. Espiritualidade e saúde: Religião 291.175

4ª impressão

Todos os direitos reservados à **EDITORA SANTUÁRIO** – 2023

Rua Pe. Claro Monteiro, 342 – 12570-045 – Aparecida-SP
Tel.: 12 3104-2000 – Televendas: 0800 - 0 16 00 04
www.editorasantuario.com.br
vendas@editorasantuario.com.br

Dedico esta obra aos meus filhos:
João Paulo, João Víctor e Mariana.

Agradecimentos

Agradeço primeiramente a Deus que, por intermédio de seu espírito criador, me conduziu e inspirou em todas as etapas da confecção desta obra. Agradeço ainda a Nossa Senhora das Graças e a São Judas Tadeu, meus intercessores junto ao Pai, para que estas ideias fossem publicadas. E também a minha família, pilar que me sustentou nos momentos difíceis; e foram inúmeros. Sou eternamente grata à professora Berta Lúcia Pinheiro Klüppel, grande incentivadora dos meus dons literários, que me orientou na pesquisa durante o mestrado, vindo a me direcionar na manufatura deste livro. Igualmente me dirijo aos professores do Programa de Pós-graduação em Ciências das Religiões (PPGCR) da Universidade Federal da Paraíba, que proporcionaram enorme crescimento na área do estudo religioso, por meio de suas aulas. Aos "bons" professores dos cursos de Farmácia e Medicina, que me mostraram o caminho maravilhoso e interminável a ser trilhado na descoberta de fórmulas e tratamentos capazes de reduzir o sofrimento humano. Ao cadáver desconhecido e aos pacientes, que nos emprestaram seus corpos, para que aprendêssemos uma milésima gota desse imenso mar de conhecimentos chamado Ciência.

Prefácio

A delicada tarefa de prefaciar o livro de Valdelene, que já vem apresentado pela autora, exigiria, a meu ver, uma suplementação da obra. Mas como complementar um trabalho sobre Espiritualidade e Saúde, que é fruto de investigação tão ampla e profunda como a que aqui se apresenta? Resolvi expor autores que falam da importância do "Deus em mim", da busca pela centelha divina que representa o Eu Superior de cada um. O Cristo interior que uma vez acessado torna-se fonte de compaixão, de sensação, de unicidade consigo próprio, com a humanidade e com o cosmo, e consequente manancial inesgotável de fé, de perdão e de autocura.

Essa busca pelo "Deus em mim" como a mais perene fonte de harmonia e equilíbrio é pregada desde os escritos antigos aos contemporâneos do Oriente e do Ocidente, em várias denominações religiosas e também por místicos sem filiação religiosa, a exemplo de Sara Marriott, para quem o caminho da fé, do amor e a graça do Eu Superior permitem o entendimento de como lidar com mais facilidade com todos os desafios e áreas obscuras da vida.

A possibilidade da revelação é descrita na mitologia védica no Bhagavad-Gita, que afirma a presença de Superalma em tudo o que existe e, portanto, que o Senhor Supremo está representado em todas as formas materiais desde a entidade viva mais gigantesca, Brahma, indo até a menor formiga, porque o Senhor entrou em cada uma delas e as sustenta. Para entender Krishna é necessária a orientação de um mestre autêntico. Considera-se que, quando o discípulo está pronto, o Mestre aparece. Entretanto, diz o Bhagavad-Gita, em seu capítulo XII, que não é por meio dos sentidos materiais que se contempla a forma cósmica do Senhor. O Eu universal, por sua vontade, pode revelar-se ao devoto que se ocupa em transcendental serviço amoroso ao Senhor. Esse serviço que exclui qualquer especulação mental compreende o serviço devocional feito de penitências, jejum, caridade, adoração e respeito à Suprema Personalidade de Deus e também da difusão da consciência de Krshna. Entendendo que, se somos uma centelha do todo, só nos é possível apreender o todo por meio da Revelação e que, se o infinito se revela, então, é possível compreender a natureza do infinito, unicamente, pela sua graça.

Segundo Rhoden, ao prefaciar o livro de Goldsmith, a mensagem desse curador é: "Homem, cura-te a ti mesmo! Tu que adoeceste pela ilusória identificação com teu pequeno ego humano, físico-mental-emocional, restitui a tua saúde a ti mesmo pelo descobrimento da verdade, pela consciente e permanente identificação com o teu grande Eu divino, espiritual". Para Goldsmith a busca incessante pela paz e harmonia interior se dá pela dedicação diária a conhecer a Deus, por intermédio da meditação, nas leituras de escritos místicos e filosóficos e pela comunhão com pessoas que trilham a senda espiritual. E afirma que ninguém sabe o momento em que a própria vida começará a mudar, quando entrará em contato com a mensagem ou com o livro que abrirá sua alma. Ele adverte que essa transformação depende da entrega irrestrita a Deus por meio do pensar, meditar, amar, e que essa revelação trará ilimitada influência sobre a saúde e a harmonia e na vida do praticante.

A cura espiritual é muito mais que uma experiência meramente física ou psíquica; cura real é o descobrimento de uma comunhão interna com algo muitíssimo maior do que qualquer coisa que possa ser encontrada no mundo; é a experiência de nosso encontro com Deus, a vivência de uma paz espiritual, de uma tranquilidade interior e de uma luminosidade de dentro – e tudo isso nos vem com a conscientização de Deus, da presença e da força de Deus em nós, do estado de consciência que o divino Mestre chama de "meu reino que não é deste mundo". Jesus disse: "se de dois fizerdes um, então vos fareis Filho do Homem". Rohden, interpretando o Evangelho de Tomé, afirma que, com essas palavras, Jesus celebra a onipotência da fé (*fides* que quer dizer fidelidade, harmonia, sintonia), a qual depende de o homem unificar sua dualidade: corpo e alma. Considera que a nossa dualidade heterogênea é o motivo de nossa fraqueza, e que pela fé nos fidelizamos e harmonizamos com as forças cósmicas do Infinito.

Jung fez a distinção entre o Ego e o Eu e essa pode ser considerada uma das mais gloriosas conquistas da Psicologia moderna do ocidente. Rhoden avalia que todos os nossos males, de qualquer espécie, vêm da fonte negativa de nosso Ego humano. A libertação desses males vem unicamente da atuação positiva de nosso Eu divino. E pondera que hoje diante de uma melhor compreensão da natureza humana, autorredenção é Cristo-redenção, uma vez que nosso Eu verdadeiro é o "Pai em nós", o "Cristo interno", a "luz do mundo", o "Reino de Deus dentro do homem", o "espírito de Deus que habita em nós". Para Rohden esta é a tese fundamental dos terapeutas que trabalham com a Logoterapia: não se invoca um Deus que está fora de nós, mas se evoca o Deus que está em nós. E se é verdade que "eu e o Pai somos um, que o Pai está em mim e eu estou no Pai", se é verdade que "não sou eu (ego) que faço as obras, mas o Pai em mim (Eu) que faz as obras", então é evidente que ninguém pode me curar senão o Pai em mim que é meu Eu divino, ou seja, é alcançando a harmonia, a perfeita unidade entre o elemento humano e o elemento divino da natureza humana que se manifesta o poder espiritual.

Termino este prefácio com a oração de entrega ao absoluto de Goldsmith, em *A arte de curar pelo espírito*, um testemunho de fé e de entrega que deveria ser a oração diária de quem deseja encontrar a harmonia de espírito, principal catalisadora de uma saúde integral: "O Pai conhece as minhas necessidades, e eu aqui estou como simples observador, não orando para ter boas oportunidades amanhã, mas sentando tranquilamente nesta atmosfera da alma e contemplando como as oportunidades vêm ter comigo. Assim como os rios demandam o mar, e como para eles é curso normal e natural mergulharem no mar e alimentarem os vastos oceanos do globo, assim é o curso normal e natural que a graça de Deus flua para dentro de mim. Esse fluxo de graça foi represado por meio de desejos, temores e dúvidas da minha parte e pela crença de que Deus fosse algo à parte e separado de mim e ignorasse as minhas necessidades. Agora, porém, abro mão de todos os cuidados e ansiedades, e aqui estou como simples observador, contemplando a infinita bondade de Deus".

Dra. Berta Lúcia Pinheiro Klüppel
Médica, professora do Centro de Ciências da Saúde/Universidade Federal da Paraíba (UFPB) e do Programa de Pós-graduação em Ciências das Religiões (PPGCR/UFPB).
Doutora em Patologia Experimental.
Aposentada.

Referências:

GOLDSMITH, J.S. *A arte de curar pelo espírito*. Porto Alegre: Fundo Editorial Alvorada, [s.d.].

JUNG, C.G. *Memórias, sonhos, reflexões*. 12ª ed., Rio de Janeiro: Editora Nova Fronteira, 1961.

MARRIOT, S. *Uma jornada interior*. São Paulo: Pensamento, 1981.

PRABHUPADA, S. *Bhagavad-Gita:* como Ele é. 3ª ed., São Paulo: The Bhaktivedanta Book Trust International, 2001.

ROHDEN, H. *O quinto evangelho:* a mensagem do Cristo, segundo Tomé. 8ª ed., São Paulo: Martin Claret, [s.d.].

Apresentação

Impactante a obra *Medicina e Espiritualidade*. E por que o é? Porque Ciência e Fé historicamente foram estigmatizadas como polos opostos, inconciliáveis como água e óleo. Recentemente, abriu-se um diálogo profícuo, no qual a Ciência procura aproximar-se do fenômeno religioso reconhecendo sua legitimidade. Especialmente no processo terapêutico, sem entrar na questão do objeto de pesquisa religiosa, como o faz a Teologia ou a Ciência das Religiões, pouco por vez, analisa-se que a prática religiosa muda o hábito, o comportamento ético e assim a cura pela fé realmente é fato; claro, sem menosprezar o discurso científico sobre o ser humano, e sim reconhecendo a dimensão espiritual do homem.

O discurso teológico tem sua validade com os outros saberes científicos. Discurso narrativo, com forte aspecto existencial, vai direto ao coração, envolve todas as dimensões da pessoa, não precisando negar ou excluir a palavra da Ciência. Porém não foi sempre assim. Ao longo da História, especificamente, o cristianismo adotou uma postura fechada, dogmática, em que a verdade era manifestada pelo poder da Igreja (autoridade) e somente por ela. Hoje, a tendência é afirmar a validade do discurso religioso, mas é bem verdade que esse mesmo discurso abriu-se ao saber científico, de tal modo que ele foi enriquecido diante do mito da cientificidade, isto é, da arrogância da Ciência como verdade absoluta, como único método válido para o progresso humano. A religiosidade tem aparecido como alternativa, até porque o conhecimento científico foi e tem sido instrumentalizado para fins que ameaçam a vida sobre a terra, bastando pensar na construção da bomba atômica, as armas químicas e biológicas, causando certa reserva.

A Igreja Católica tem dado passos significativos no sentido de aproximar a fé e a razão; primeiro no Concílio Vaticano II e, mais recentemente, por intermédio da carta encíclica *Fides et Ratio* (sobre a relação entre Fé e Razão), obra do Papa João Paulo II, na qual se afirma: "A fé e a razão constituem como que duas asas pelas quais o espírito humano se eleva para a contemplação da verdade". Assim nos situamos em uma época que aponta para uma verdadeira aproximação entre fé e Ciência.

A obra em questão por si só já demonstra que os cientistas e especialmente os que professam a fé estão se aventurando nesta árdua tarefa: a missão de analisar o fenômeno religioso e suas implicações na pessoa humana e a incidência da espiritualidade sobre o homem enquanto crente, isto amparado pela própria Ciência.

O homem não tem um corpo, ele é corpo, animado e espiritualizado. Não existe um corpo e uma alma separados. Esse dualismo gerou incompreensões antropológicas e a pior delas é ver o corpo como uma carcaça desprezível, enquanto a alma seria o aspecto inteligente, privilegiado, em que habita o bem, a beleza. Atualmente, opta-se por uma visão unitária da pessoa. Não pode existir um dualismo. Aceita-se uma dualidade, corpo e alma que se implicam, que estão intimamente ligados, concorrendo para a realização da pessoa. Compreendo que é esta intuição que despertou na médica Valdelene a ousadia de escrever esta obra. Uma antropologia unitária tem motivado na atualidade profissionais das diversas áreas do conhecimento a lançar luzes na abordagem do ser humano. Ao longo deste livro, fica claro, especialmente por intermédio da pesquisa da autora, que, ao atender seus pacientes, não bastava a análise do corpo. Há outros tipos de linguagens que demonstram relação direta com o quadro clínico, com a observação externa do sujeito, a exemplo da linguagem espiritual, linguagem psicológica. Pôs-se então a elaborar sua pesquisa e estudar a fundo a relação entre espiritualidade e Ciência.

A literatura a respeito dessa relação é escassa, estando aí o mérito da obra, pois como afirmei, na busca pela verdade, fé e Ciência não se harmonizavam.

A espiritualidade como se verifica na pesquisa, na obra como um todo, auxilia no processo terapêutico e por vezes cura o paciente. Os muitos modos de se aproximar de Deus, especialmente a oração, a meditação, o toque terapêutico, são caminhos que levam à restauração da pessoa.

A meditação está presente em religiões do Oriente e do Ocidente, e a autora abordou variantes desta prática em sua obra. No budismo ela aparece como um caminho para a iluminação interior; no cristianismo, como a forma mais autêntica de libertação do pecado, da passionalidade, manifestando o diálogo com Deus. É na profundidade dessa prática que ocorre o encontro do "eu" com o grande "outro"; é aí que se realiza a *catarse*, a purificação de tudo que é alheio ao indivíduo, trazendo-lhe a alegria de viver, a saúde física e espiritual, o gozo de uma felicidade eterna antecipada, em que o orante se sente irmanado com o cosmos, fundido no "tu".

A espiritualidade, em si, é benéfica. No entanto, ela não deve ser confundida com fantasiosas práticas difundidas entre algumas seitas, pois, com o advento de movimentos extremos e do charlatanismo religioso, certas práticas religiosas têm frustrado o crente, e o que deveria curar a pessoa, dando-lhe novo modo de vida, tem alienado e até piorado o estado de saúde de muitos. A espiritualidade é sempre respeitosa em relação à divindade, não se podendo forçar, obrigar Deus a realizar a cura. A oração deve ser humilde: "Senhor, se queres, tens o poder de curar-me" (Mt 8,2). Assim a liberdade de Deus fica salvaguardada. O Deus que criou sustenta a criação, não quer que ela se perca. Estaria aí a fundamentação de que Deus alivia o sofrimento humano. Por outro lado, o sofrimento é inerente ao ser humano e advém do fato de sermos criatura; assim, Deus tanto pode curar, como pode acompanhar o sofrimento humano sendo o auxílio do sofredor. À luz da fé o crente dá sentido a sua dor.

A obra *Medicina e Espiritualidade* traz uma reflexão séria na fase atual da história, especialmente porque elucida uma questão polêmica. É possível uma abordagem espiritual na consulta clínica? Isso não transformaria a prática médica em curandeirismo? Nas páginas desta obra fica claro que é possível tal atitude, no entanto há que se conhecer a fundo o que é Ciência, o que é espiritualidade; saber os limites de ambas e "o como" esta última pode auxiliar no processo terapêutico da pessoa. Reconhecendo que o ser humano não se limita a sua dimensão física e que uma antropologia unitária melhor enxerga o homem como ele é, pluridimensional, a espiritualidade recoloca o homem no jardim de onde havida sido expulso, quando a Ciência e algumas correntes filosóficas o expulsaram, arrogando a exclusividade de seu discurso na abordagem humana. A obra possui de fato uma relevância e os leitores não só se beneficiarão ao lê-la, mas, sobretudo, serão despertados enquanto seres religiosos, fazendo aflorar em si o lado místico, espiritual, comprovadamente, válido no processo de cura, de bem-estar.

Padre Bento Oliveira de Almeida
Bacharel em Teologia pelo Seminário Arquidiocesano da Paraíba; licenciado em Filosofia pela FAFIC de Cajazeiras e especialista em Ciências da Religião pela Faculdade São Bento no Rio de Janeiro. Atuou como padre em várias paróquias no estado da Paraíba, servindo atualmente como Capelão Naval no Navio Oceanográfico Ary Rongel.

Introdução

A modernidade trouxe para o homem a comodidade, a tecnologia avançada e o distanciamento de sua relação com Deus. Muitos são os que se declaram ateus, outros tantos se dizem espiritualizados, mas se recusam a participar de ritos religiosos; dizem-se avessos às formas institucionalizadas de prática religiosa.

No meio acadêmico ou científico, as pessoas se orgulham de seus pensamentos filosófico e empiricamente "corretos", em que abundam as críticas às grandes religiões, principalmente ao Catolicismo. Dizendo-se tolerantes com práticas religiosas diversas, muitos indivíduos do meio acadêmico não poupam esforços em atirar pedras no telhado do outro, esquecendo-se de que o material que cobre suas cabeças pode ser feito do mesmo vidro que estão atacando.

No meio médico, muitas vezes, a situação é parecida, com o diferencial de que a fé religiosa como um todo é desprezada. Alguns profissionais insistem em assumir uma posição de distanciamento em relação à prática religiosa do paciente. Uns afirmam ser este um terreno muito íntimo e delicado para ser abordado pelo profissional da saúde. Outros realmente negligenciam a questão e até recriminam atitudes que aproximem a terapêutica médica da religião.

Durante minha vida profissional, deparei-me, muitas vezes, com este dilema: até que ponto eu deveria questionar meus pacientes sobre sua prática religiosa? Como abordar esse assunto durante uma consulta, sem parecer invasiva e tendenciosa? O médico pode rezar com seus pacientes? Até que ponto seu comportamento pode ser confundido com curandeirismo, ao assumir uma prática médica complementar como o Toque Terapêutico, a Meditação ou o Reiki?

Pude observar, durante os anos em que tenho me dedicado à saúde pública, que a população é em sua maior parte receptiva à manifestação religiosa e que, muitas vezes, lança mão das preces, promessas, novenas, terços, santinhos, terreiros de umbanda ou candomblé, centros espíritas, reuniões em grupos religiosos os mais diversos, na busca da recuperação de estados patológicos.

Constatei também que as pessoas são carentes de uma maior atenção durante a consulta médica, mas que raramente isto é possível, uma vez que há demandas exageradas, por atendimento, nos postos de saúde e hospitais. A correria faz parte da vida diária de todos, do médico, principalmente, que tem a sua frente um indivíduo que nem sempre se comporta com delicadeza e educação ao ser atendido; em suas costas, uma carga pesada de trabalho para atingir um salário que julgue suficiente para suas necessidades; acima dele, um sistema massacrante que lhe exige produtividade, simpatia ao lidar com o cliente e eficiência nas ações; e sob seus pés o terreno movediço da Medicina, no qual são inúmeras as dificuldades no diagnóstico e escolha acertada de uma terapêutica para determinadas doenças.

Em meio a tudo isso, existe a possibilidade de usarmos um recurso inócuo, antigo, mas atual e disponível para todos os que a buscam: a fé; tão comentada, que segundo Jesus, seria eficaz mesmo quando tão pequena quanto uma semente de mostarda; capaz de fazer florescer uma árvore das mais frondosas. A Religião e a Ciência romperam relações no passado, mas têm se reaproximado, sobretudo nos dois últimos séculos, sob a ótica de alguns estudiosos tais como Jeff Levin, Harold Koening e Dolores Krieger, os quais desenvolveram importantes pesquisas neste campo e deram grande contribuição com seus trabalhos, na tentativa de mais uma vez unir o corpo e a mente, a Ciência e a Religião. Passei a compartilhar com eles da mesma sede: o conhecimento de si mesmo e a incessante busca de demonstrar, cientificamente, que a fé pode curar ou amenizar as feridas humanas. E tendo como base a minha dissertação de mestrado em Ciências das Religiões em 2013, escrevi este livro na tentativa de contribuir com mais uma pedrinha para a construção do ensino da Espiritualidade e Saúde no Brasil.

No capítulo 1, faço uma ligeira abordagem sobre a Medicina e a Física Quântica, refletindo sobre aspectos dessas duas ciências que, no decorrer da História da humanidade, vêm se deparando com descobertas inusitadas, muitas vezes, não visíveis a olho nu. No capítulo 2, falo sobre o *coping* religioso, quando o ser humano age de diversas maneiras em seu relacionamento com Deus, podendo ser de forma positiva, inclusive no combate ao estresse; ou negativa, dependendo das circunstâncias. O capítulo 3 fala sobre o binômio saúde/doença, desde a sua gênese, e sobre a visão de diversos autores a respeito do tema religião e saúde. No capítulo 4, é abordada a prática da meditação, trazendo um breve histórico e noções conceituais. São enfocados alguns tipos de meditação, os seus efeitos para a saúde e algumas situações em que essa prática é desaconselhada.

No capítulo 5, faço uma abordagem sobre o Toque Terapêutico (TT), citado por alguns autores como polaridade, que nas passagens bíblicas aparece como a prática de "impor as mãos sobre os doentes". Este capítulo traz noções importantes para o estudo da saúde mente-corpo-espírito, como a não localização de mentes e a interconexão entre campos energéticos humanos, compactuando com a ideia de que tudo o que existe no universo está interligado, como se fosse parte de um só organismo. Fala ainda de cada etapa para se aplicar o TT e da importância das emoções e da alimentação na gênese das doenças, mencionando diversos artigos científicos que demonstram a aplicação dessa técnica na terapêutica complementar. O capítulo 6 trata da importância da religiosidade na manutenção de vínculos afetivos e familiares, dentro de grupos religiosos ou de promoção da saúde, auxiliando nos processos de cura. Fala também da frequência aos cultos religiosos como fator preventivo de doenças e estimulante de longevidade, relacionando diversos estudos que enaltecem o hábito de frequentar igrejas.

O capítulo 7 aborda a oração nos seus diversos estilos, incluindo a prece intercessória e a reza do terço, trazendo dados da literatura e relatos de minha dissertação que demonstram a importância dessas práticas religiosas. O capítulo 8 traz um tema não muito discutido sob o viés científico: a comunhão ou Eucaristia. Alguns têm se preocupado muito com a possibilidade de receber a hóstia consagrada nas igrejas ser um risco para a saúde, sobretudo em épocas de epidemias de gripes ou outras doenças; mas o meio científico parece não haver ainda despertado para a possibilidade desta prática estar associada a milagres e curas. Este capítulo procura despertar o interesse do leitor pelo assunto, suscitando assim no meio acadêmico outras pesquisas correlacionadas. Trago ainda a prática de ler textos sagrados ou religiosos como estimulante de bons hábitos, reduzindo índices de práticas tidas como prejudiciais ao corpo e ao espírito: comportamento sexual de risco, abuso de álcool, compulsão por comida, entre outros.

O capítulo 9 traz vários aspectos da abordagem religiosa durante as consultas médicas, desde a habilidade necessária por parte desse profissional ao realizar a anamnese do doente, até trabalhos científicos que demonstram que a maioria dos indivíduos se sente bem quando interrogada a respeito de sua espiritualidade ou religiosidade. O capítulo 10 fala da força do perdão como propulsora da saúde e do altruísmo, como atitude capaz de dar sentido à vida de muitas pessoas. O capítulo 11 procura direcionar o leitor à busca de uma melhor qualidade de vida, por meio de bons hábitos alimentares, do não tabagismo e da atividade física. O capítulo 12 trata do tema da religiosidade e espiritualidade sob a ótica da neurociência, explicando a relação entre os sistemas nervoso, endócrino e imune no corpo, bem como as alterações que o organismo pode manifestar ao se deparar com situações estressantes em indivíduos com comportamentos religiosos ou não. O humor referido do indivíduo também é de grande importância para sua saúde em diversos aspectos, havendo muitos trabalhos que demonstram a predominância nos casos de morte por doença cardiovascular em pessoas mal-humoradas ou raivosas. Será feita uma correlação entre o tipo de humor, a religiosidade e as condições de saúde do paciente estudado.

O capítulo 13 fala do homem como ser espiritual conectado a tudo o que há no cosmos e que, mesmo nas situações mais difíceis, consegue vislumbrar uma luz no fim do túnel, por possuir dentro de si uma centelha de eternidade. É feito um paralelo de cada parte do corpo humano com o sagrado, baseado na visão de Evaristo Eduardo de Miranda. Encerro trazendo alguns argumentos que tentam dar novo fôlego para outros pesquisadores, que desejam percorrer os caminhos em busca de mais respostas para as inúmeras questões nesse campo do conhecimento, que a cada dia vem surgindo com novas demandas.

1

A medicina e a física quântica

Introdução

Tanto na Medicina quanto na Física, observamos, primeiramente, os fenômenos para depois chegarmos às descobertas científicas. Mas em todos os campos do conhecimento, estamos sujeitos a nos depararmos com perguntas, cujas respostas ainda não foram dadas. Como a energia produtora do pensamento interage e aciona a matéria física? Como os neurônios respondem de forma específica a certos neurotransmissores formatando as emoções? Eis um exemplo de energia que se transforma em ação; e esta por sua vez se transforma em matéria. De acordo com a Física Quântica, tudo que existe no universo é energia em mutação; todo desejo é capaz de gerar vibrações no campo quântico (GUIMARÃES, 2010). Assim como as partículas influenciam átomos, que interferem em diversos tipos de moléculas, agindo por conseguinte sobre certas porções de nosso cérebro, alterando a consciência, é possível o percurso inverso. É esse tipo de reação que se postula na Física Quântica (LINS, 2010).

As moléculas seguem as leis físicas sem nenhuma noção do que o corpo sente no decorrer da vida; emoções como amor ou ciúme não são percebidas nesse nível de organização. Um dos componentes mais importantes para que ocorra a cura é a regeneração celular. O *deoxyribonucleic acid* (DNA) estaria seriamente implicado neste processo. Mas não é o suficiente para a remoção do que está causando o problema. É aí que entra a energia vital; não muito aceita pela ciência convencional. Existe nos seres humanos uma espécie de programa que orienta os órgãos na realização de suas funções, sem qualquer relação com as leis causais da Física. Quando sentimos uma emoção, ela é captada em nível do corpo vital, inclusive passando de uma pessoa para outra, por meio da não localidade. Assim, uma pessoa com sua energia vital equilibrada pode, por intermédio da imposição de suas mãos, sobre o corpo da outra pessoa que está doente, com movimentos de varredura, equilibrá-la e auxiliar em seu processo de cura (GOSWAMI, 2006).

Teorias científicas que justificam a não localidade

O organismo humano responde aos estímulos provenientes do ambiente de forma totalizadora ou sistêmica. Para os vitalistas, a energia vital tem papel essencial nisso. É ela que faz de nós mais do que um amontoado de elementos e que faz com que tenhamos uma existência individual. Hoje, os biólogos sistêmicos pensam que a complexidade da matéria viva cria a força vital. Nosso papel, como terapeutas, é afastar as condições que geraram a enfermidade, proporcionando as condições necessárias para que esta energia possa recompor a organicidade (AUGUSTO, 2014).

Essa ideia de continuidade do corpo humano com o meio que o cerca, dando ao mundo científico uma visão singular de unicidade, concedeu ao químico belga Ilya Prigogine o Prêmio Nobel de 1977. De acordo com o pensamento desse cientista, a matéria não é inerte e nós interagimos com ela. Em condições de desequilíbrio, a vida busca caminhos alternativos, capazes de atingir uma adaptação à nova situação. Comunga com suas teorias o fato de os seres humanos terem evoluído diante das dificuldades que surgiram no decorrer da História, inclusive no campo da Medicina. Para surgirem estruturas mais complexas no universo, foi necessário que houvesse perturbações da ordem; para existir a ordem antes houve a desordem, o caos (DOSSEY, 2000).

Esse autor acredita que vivemos em um mundo de estruturas dissipativas, até mesmo naquilo que consideramos ser a primazia de nossa individualidade, ou seja, nossos genes. Por mais estranha que possa parecer essa ideia, ela é verdadeira. Isso porque, a cada geração, vemos nossa herança genética transmitida para nossos descendentes ser reduzida; e ainda pelo fato de que nós mesmos nos renovamos a todo instante, eliminando e criando novas células. De fato, tamanha é a renovação de nossos órgãos (pele, fígado, estômago, dentre outros) que podemos dizer que a cada cinco anos toda a nossa estrutura orgânica é completamente modificada. Absorvemos elementos do meio ambiente e devolvemos a ele outros. O átomo de carbono, que entra em nossa constituição, já pertenceu à Terra e a ela retornará por ocasião da eliminação de cabelos, unhas e células da pele. Uma passagem bíblica vai dizer: "Comerás o teu pão com o suor do teu rosto, até que voltes à terra de que foste tirado; porque és pó, e em pó te hás de tornar" (Gênesis 3,19).

Podemos aplicar essas teorias tanto ao mundo macro quanto ao mundo micro. Atualmente, estamos vivendo momentos muito difíceis na sociedade, tanto nas culturas orientais quanto ocidentais. O homem do século XXI está experimentando um desenvolvimento tecnológico nunca visto, ao passo que está também passando por momentos de crises, tanto na esfera política quanto na esfera do núcleo familiar. O clima no planeta também tem se modificado drasticamente; praticamente acompanhando o turbilhão de emoções que afloram no homem moderno. Vivemos na era da Medicina tecnológica; mas, em contrapartida, estamos nos distanciando dos princípios do cuidado básico: o examinar e o ouvir. Em resposta a nossos abusos, as bactérias estão adquirindo maior resistência aos antibióticos, colocando-nos à beira de um precipício: a era das superbactérias e das infecções incuráveis. Como podemos ver, ocorre toda uma interação entre as estruturas macroscópicas (o homem e a natureza em geral) e o mundo invisível a olho nu (vírus, bactérias, fungos, anticorpos humanos, dentre outros). As doenças autoimunes e o câncer, que estão crescendo em números assustadores, e o efeito estufa nos levam a refletir sobre o que estamos fazendo, que direção estamos dando a nossas vidas, a nosso planeta. As teorias de Prigogine nos tiram da cômoda situação de acreditarmos que tudo é fonte do acaso e que vivemos em um mundo determinista, onde nosso destino estaria traçado pelo Criador. Somos corresponsáveis por todos os eventos que se sucedem na Terra e em nosso corpo.

Trazendo as teorias dissipativas para o campo da saúde, constatamos que o organismo saudável não é exatamente aquele que nunca enfrentou doenças. Afinal o desenvolvimento de anticorpos requer o prévio contato com germes patogênicos, seja em sua forma natural, seja por meio das vacinas. Para que o corpo humano desfrute de maior longevidade, deverá passar por alguns períodos de reestruturação diante das doenças e dificuldades do dia a dia; dessa forma, moléstias mais sérias obrigam-nos a nos tornarmos seres mais complexos. Tem sido assim desde os primórdios da vida na Terra. Mas, às vezes, a perturbação sofrida é maior que a capacidade de adaptação do organismo; aí surgem as doenças crônicas bem como o evento que poderá terminar com a morte do corpo físico (DOSSEY, 2000).

Esse mesmo autor vai dizer que compete à Medicina estimular os mecanismos do próprio corpo para combater as doenças; e não somente contribuir para seu tratamento com pílulas e procedimentos cirúrgicos. É necessário trabalhar com as adversidades e não contra elas; pois, do contrário, as moléculas que nos compõem não evoluirão para outras mais complexas, dotadas de resistência. Então a atividade física, o não tabagismo, uma alimentação balanceada fortalecem tais mecanismos de defesa naturais. O doente precisa aprender algo com a moléstia que o afeta, para não sucumbir novamente a ela ou a outras que a sucedam. Os hábitos de vida, muitas vezes, deverão ser revistos bem como a maneira de o indivíduo encarar o que lhe acontece.

Trago mais uma vez a questão das superbactérias, tão temidas na atualidade. Elas evoluíram "com os antibióticos" que criamos. E nós que lição tiraremos disso? Não seria a hora de divulgarmos e praticarmos hábitos básicos de higiene, como lavar bem as mãos várias vezes ao dia? E também de insistirmos com as crianças para que elas tenham uma alimentação mais rica em vitaminas naturais por meio do consumo de frutas e verduras? Que medidas podemos tomar para que o trabalhador doente não dissemine um vírus ou bactéria em seu ambiente de trabalho? Que medidas podemos tomar nos ambientes de aglomeração de pessoas, como ônibus, trens e aviões? O que podemos fazer nas escolas, para que as crianças não contaminem umas às outras? Parece-me que nos resta agora nos prepararmos para viver, evoluir e sobreviver em um mundo onde os microrganismos "aprenderam" a viver com as drogas e vacinas que inventamos.

Observador e objeto: novas formas de enxergar o campo de estudo

Alguns cientistas ainda insistem em ridicularizar a importância dos fatores humanos e das emoções na Medicina contemporânea, supervalorizando o mundo objetivo da Biologia Molecular. No entanto, foi assim também com a Física, que até a segunda década do século XX contentava-se apenas com a descrição precisa e sumária dos eventos observáveis na natureza. Com o despontar da Física Quântica, o observador passou a ser vital na caracterização dos fenômenos. Por intermédio de métodos científicos, tentamos confirmar as hipóteses levantadas. Mas nem sempre isso é possível. Muitas vezes, os pensamentos dos pesquisadores não são confirmados durante a realização de seus estudos. Há de se considerar, nesses casos, que o pensamento pode estar certo, mas os métodos científicos ou dados disponíveis podem não ser suficientes ou não ter sido bem empregados naquele momento. Isso talvez se deva ao fato de que, segundo o matemático Kurt Gödel, as leis da natureza não possam ser deduzidas de forma axiomática, formal e dedutiva; ou de acordo com o Teorema de Bell[1] e seus posteriores aprimoramentos, não existiria uma realidade exterior puramente física. O universo objetivo é incompatível com a lei das causas locais (DOSSEY, 2000).

Esse mesmo autor nos faz refletir sobre a aplicabilidade dos métodos científicos para estudar o que ocorre na natureza. Ele afirma, por exemplo, que é impossível dispor de todos os dados que se quer em um estudo, pois o processo de coleta não pode ser reduzido ao objetivismo. Há a interferência do próprio observador no fenômeno estudado, afinal ele não está separado daquilo que é o foco de suas observações.

E ainda, mesmo de posse dos dados a serem estudados, ocorre limitação na forma de lidar com eles. Outra questão a ser considerada é a linguagem utilizada pela ciência. Ela também seria inadequada para expressar várias mentes que se fundiriam em uma só, implicando outra problemática: se nada existe fora do indivíduo que se possa usar como referência, o que o cientista mede? Niels Bohr[2] afirmava que as coisas tinham múltiplas identidades. Assim, um elétron era partícula e também uma onda. Desta forma, novas expressões linguísticas dão origem a novas descobertas, a novos mundos. De modo que, para a ciência ser capaz de descrever mais adequadamente os acontecimentos, considerando o princípio da unicidade, deverá reconsiderar o binômio sujeito-objeto.

---

[1] Teorema proposto pelo físico John S. Bell em 1964. De acordo com suas proposições, dois elétrons em locais distintos, sob a ação de um campo magnético, sofrem interferência instantânea, mesmo sem existir qualquer contato entre ambos.
[2] Importante físico dinamarquês (1885-1962), que deu inúmeras contribuições para a compreensão da estrutura atômica e da Física Quântica.

Seria mais adequado considerar o sujeito ou observador como parte integrante do material estudado (DOSSEY, 2000).

No método científico tradicional o sujeito observa, analisa, pensa no objeto que é; neste caso, passivo no processo do estudo, é meramente pensado. Como resultado desse processo teremos uma relação médico/paciente, em que este último é agente passivo. Sob este ponto de vista, perdeu-se muito da dimensão social e subjetiva do indivíduo estudado, enquanto que o cientista surge como alguém que está construindo um mapa da realidade, no qual o mundo está distante, deixando de levar em consideração, por exemplo, a subjetividade da pessoa humana. Na medida em que tratamos um enfermo, não lidamos apenas com seu caráter material. Muitos aspectos não objetivos, não facilmente mensuráveis, estão em ação, participando do processo. Quando objetivamente não nos damos conta deles, poderá haver alguns fracassos no estudo (AUGUSTO,2014).

A ideia de não localidade citada acima pode ser também entendida quando um mesmo ente atômico está ligado a outro, distante dele e ambos modificam seus estados no mesmo instante; reforçando ainda mais a interferência do observador no objeto estudado, mostrando que o primeiro faz parte do segundo, influenciando assim a realidade vista (PELIZOLI, 2014).

Essa ideia é condizente com as que são defendidas por David Bohm[3], nas quais este físico afirma que as partes que compõem o universo contêm o todo, baseando-se em suas observações acerca do holograma, imagem de construção especial, que ao ser iluminada por um feixe de *laser*, dá a impressão de estar suspensa no espaço tridimensional. De acordo com Bohm, qualquer parte do holograma que venha a ser iluminada por uma luz congruente proporcionará a imagem de todo o holograma (DOSSEY, 2000). Do ponto de vista bíblico, tem-se uma alusão a este pensamento de que as partes contêm o todo, no Evangelho de João (14,6-11):

> Jesus lhe respondeu: "Eu sou o caminho, a verdade e a vida; ninguém vem ao Pai, senão por mim. Se me conhecêsseis, também certamente conheceríeis meu Pai; desde agora

---

[3] (1917-1992), físico quântico americano que viveu também na Inglaterra e no Brasil.

já o conheceis, pois o tendes visto". "Senhor, disse-lhe Filipe: mostra-nos o Pai, e isto nos basta. Respondeu Jesus: "Há tanto tempo que estou convosco, e não me conheceste, Filipe! Aquele que me viu, viu também o Pai. Como, pois, dizes: Mostra-nos o Pai... Não credes que estou no Pai, e que o Pai está em mim? As palavras que vos digo não as digo de mim mesmo; mas o Pai, que permanece em mim, é que realiza as obras. Crede-me: estou no Pai, e o Pai em mim. Crede-o ao menos por causa destas obras".

O neurofisiologista Karl Pribram[4] acreditava que nosso cérebro armazenaria as informações sob a forma holográfica; a memória poderia então ser armazenada em todo o córtex cerebral e não apenas em determinadas áreas específicas. Suas afirmações baseavam-se no experimento laboratorial de outro cientista: Karl Lashley[5]. Este observou que certos animais, quando tinham parte de seu córtex cerebral retirado, ainda conservavam suas funções primordiais na porção remanescente, reduzindo apenas a velocidade e precisão de seu desempenho (DOSSEY, 2000).

Esse autor traz ainda dois exemplos descritos na área médica, de pessoas (uma mulher de 21 anos e um garoto de seis) que tiveram todo o seu hemisfério esquerdo removido cirurgicamente, na tentativa de deter sucessivas crises epilépticas; ao contrário do que se esperava, mantiveram sua função motora conservada, sendo capazes de levar uma vida normal. O menino inclusive mostrou-se, posteriormente, com um bom desempenho intelectual; isto contraria a ideia clássica de que a função motora, fala e raciocínio lógico estariam restritas ao hemisfério esquerdo do cérebro. Esses casos parecem inexplicáveis do ponto de vista da neurofisiologia tradicional, que considera cada região do córtex cerebral como responsável direto por cada função orgânica (fala, raciocínio matemático, intuição, dentre outras). Mas encontra respaldo científico quando analisados sob o ponto de vista de Pribram e de Bohm.

---

[4] (1919) neurocirurgião americano, ficou conhecido pelo seu modelo de cérebro holonômico, descrito em "Brain and Perception" 1991.
[5] (1890-1958), cientista que trabalhou com Karl H. Pribram e deu inúmeras contribuições nos estudos sobre a memória e aprendizado.

O salto quântico para a cura

Os objetos físicos e os mentais são possibilidades quânticas dentro da consciência, e esta poderá produzir de forma não local um novo evento, desta vez real. A cura mente-corpo ocorre de acordo com tais princípios, em que o cérebro comanda a fabricação de algo material (um neuropeptídio) a partir do pensamento. Esta nova molécula comunica-se então com o sistema imunológico ou endócrino, facilitando a cura. Mas o paciente, para obter a cura, deverá desenvolver uma espécie de criatividade mental. Esse processo passaria por algumas etapas a saber: preparação, incubação, *insight*, manifestação (GOSWAMI, 2006).

O autor acima afirma que na primeira delas o indivíduo receberia algo para tomar e acreditaria que está ingerindo algo capaz de curá-lo. Então seria estimulado a procurar a raiz de sua doença. Como, quando, por que começou? O objetivo desse estágio seria a desaceleração da mente, deixando-a mais aberta e receptiva. A etapa seguinte encorajaria o desenvolvimento da criatividade; poderia ser feita por meio da terapia da arte, por exemplo. Em seguida aconteceria o chamado *insight*, graça de Deus para alguns com crenças religiosas formadas. Aí surgem as mudanças contextuais significativas do indivíduo. A mente vê-se livre de algemas e ocorre o chamado salto quântico, em que os órgãos afetados ficam curados rapidamente, até mesmo de câncer. No último estágio, o indivíduo apresenta modificação de hábitos de vida, de modo a ter mais equilíbrio em suas ações, portanto mais saúde.

Nem tudo o que existe pode ser visto pelo olho humano. Não vemos o elétron, mas sabemos que ele existe, que ele pula de um ponto a outro na eletrosfera. Quando se pensou na existência do DNA há cerca de 50 anos não se podia vê-lo. Atualmente, cientistas podem "senti-lo" por intermédio dos mais modernos microscópios eletrônicos. Não podem vê-lo propriamente, pois tais aparelhos não permitem uma visualização convencional; eles medem a força entre os átomos, desenhando o formato do que se quer estudar.

Na Grécia antiga, filósofos como Demócrito e Platão já postulavam que a matéria poderia ser composta por átomos, sendo que este primeiro acreditava na indivisibilidade atômica enquanto que o segundo já previa o contrário. Einstein demonstrou com sua famosa fórmula que a energia pode se transformar em matéria, o que ajudaria na tese de que um pensamento pode se materializar, pode influenciar sobre o que ocorre em nosso corpo e até sobre outras pessoas (CHOPRA, 2011).

Isso talvez porque a consciência seja o fundamento do ser, antecedendo ao próprio cérebro (GOSWAMI, 2006). Nossas células possuem inteligência, assim como nosso sistema imunológico. O corpo humano, de forma semelhante ao universo, é formado principalmente por espaços "vazios" (CHOPRA, 2011). Devemos nos questionar quanto ao real vazio destes espaços. Afinal o ar que nos rodeia também parece "vazio", mas está repleto de gases, dentre eles nosso tão indispensável oxigênio. E o que dizer da existência de Deus: esta entidade invisível, mas que muitos acreditam ser capaz de estar presente em todo lugar? O amor também não pode ser visualizado ou tocado; mas é inegavelmente tido como algo de indescritível poder, capaz de transformar pessoas e situações.

Concluindo o capítulo

A flor, tão citada nas canções, poesias e declarações apaixonadas não encanta apenas pela delicadeza de suas pétalas, mas pela singeleza de seu perfume. Mas este não pode ser visualizado, apenas sentido pelos que não possuem problemas com o olfato. Seria uma comparação plausível equiparar os que não têm olfato aos que não têm fé? Os cegos também não veem a flor, mas podem sentir seu aroma e sua textura suave. O resto, eles imaginam. Também nós, dotados de fé, imaginamos a pessoa de Jesus. Todos o imaginamos bonito, saudável, de olhar penetrante, com voz firme e convicta. Nunca o vimos, mas podemos até senti-lo, em alguns momentos de nossas vidas.

Que sentimento é este que nos permite acreditar em um Ser que fisicamente não está mais entre nós, pelo menos não da maneira convencional? Não podemos esquecer que Ele disse que estaria conosco até o fim dos tempos. E que Ele se faz presente na Eucaristia. Mas de acordo com a lógica dos céticos Ele não habita o planeta dos vivos. No entanto, sua presença é ardente em nossos corações, como diziam os discípulos de Emaús, seus contemporâneos.

Se fecharmos os olhos e nos concentrarmos, poderemos até visualizá-lo com suas vestes e cabelos compridos, caminhando pelas ruas de

Jerusalém. Poderemos até quem sabe deitar nossas cabeças em seu colo, para chorar nossas mágoas ou simplesmente ouvir suas histórias. Ousar então dizer-lhe: "Jesus, meu amigo".

Tudo isso dá uma conotação poética à existência. Mas a Física Quântica guarda suas semelhanças com a poesia, por falar de incertezas, introduzindo os conceitos de onda e partícula de forma leve e complementar. Ela harmoniza ciência e arte, servindo de elo entre alopatia e Medicina Alternativa (GOSWAMI, 2006).

A Física Quântica fala da materialização da energia. A Religião fala da existência de um Ser que, apesar de não ser visto pelo olho humano, está presente em todos os lugares, que pode alterar a vida de cada habitante deste planeta, mesmo que nele não acreditemos. Fala desta força incrível que brota da fé, capaz de mudar acontecimentos, de transformar tristeza em alegria, corpos doentes em sãos.

2

Relacionamento individual com Deus/*coping*

Introdução

A sociedade dos tempos atuais vive num crescente estado de angústia, de falta de sentido, manifestando-se com quadros de ansiedade e de negação da dimensão espiritual. É o chamado sofrimento espiritual: uma das faces do adoecimento humano (ROESE, 2011).

A saúde das pessoas também sofre influência de seu relacionamento com Deus; aquelas que enxergam Deus como um remédio, um Ser que as liberta dos problemas em suas vidas, geralmente são mais felizes e satisfeitas com sua saúde (LEVIN, 2011). Abib (2010a) traz em sua obra alguns relatos de indivíduos que obtiveram melhora, ou até mesmo cura de determinadas doenças, ao abandonarem o sentimento de revolta em relação a Deus.

Por outro lado, há casos em que a Religião é fonte de angústia primária, exigindo a abordagem religiosa integrada ao tratamento psiquiátrico (PARGAMENT; LOMAX, 2013). Seeman, Dubin e Seeman (2003) chamam atenção para a importância de se considerar nos estudos que investiguem espiritualidade e saúde, também os aspectos negativos da religiosidade do indivíduo, tais como sentir-se punido por Deus ou ter relação conflituosa com membros da comunidade da qual fazem parte.

Coping é um vocábulo de origem inglesa, sem correspondente literal na língua portuguesa, mas que é considerado por alguns como: enfrentamento, manejo ou adaptação (PANZINI; BANDEIRA, 2007).

Pargament, Koenig e Perez (2000) desenvolveram e validaram uma escala de avaliação de *coping* religioso: a RCOPE *scale,* testando-a em 540 estudantes universitários, que haviam enfrentado algum evento estressor em suas vidas, nos últimos três anos, e em uma segunda amostra composta por 551 idosos hospitalizados. Estes últimos eram portadores de alguma doença grave. Alguns dos itens que fizeram parte das subescalas da RCOPE foram adaptados de dados obtidos na literatura, enquanto outros foram idealizados a partir da análise clínica dos pacientes da amostra. O maior índice de utilização do *coping* foi encontrado na amostra de sujeitos idosos. Nesse estudo foram abordadas cinco funções básicas da religião: significado, controle, conforto espiritual, intimidade com outros indivíduos e transformação.

Com base no estudo citado anteriormente, Panzini e Bandeira (2007) entendem o *Coping* Religioso Espiritual (CRE) positivo como o estabelecimento de estratégias que proporcionam efeito benéfico ao praticante, como por exemplo: procurar amor/proteção de Deus ou maior conexão com forças transcendentais, buscar ajuda/conforto na literatura religiosa, buscar perdoar e ser perdoado, orar pelos outros, procurar resolver problemas em colaboração com Deus, dar novo significado ao estressor, considerando-o benéfico, dentre outras. Define-se o *Coping* Religioso Espiritual (CRE) negativo como o envolvimento em estratégias que geram consequências prejudiciais/negativas ao indivíduo, tais como: questionar existência, amor ou atos de Deus, delegar somente a Deus a resolução dos problemas, sentir-se insatisfeito ou descontente em relação a Deus ou aos frequentadores/membros de instituição religiosa, considerar o estressor como punição divina ou das forças do mal etc.

Reflexos do coping *religioso sobre a saúde dos indivíduos*

A religiosidade muitas vezes ajuda o paciente a adaptar-se a novas realidades de sua vida, principalmente ao deparar-se com doenças, proporcionando uma ressignificação dos processos de sofrimento e morte (MOREIRA-ALMEIDA; STROPPA, 2009; EVANGELISTA, 2016).

As pessoas com boas condições de saúde se consideram integradas ao divino. Alguns indivíduos também compartilham desse sentimento, enquanto outros se sentem abandonados por Deus. Em certos casos, a espiritualidade surge na própria doença, como recurso interno para suportar a situação, favorecendo a aceitação do quadro ou ajudando no restabelecimento do corpo; o que demonstra sua importância na prevenção de doenças, na manutenção da saúde, na reabilitação e até na cura. Ela parece favorecer uma visão mais positiva da vida, reduzindo o estresse por meio da sensação emocional, que brota do relacionamento com Deus. Esse olhar mais ampliado sobre o processo de promoção da saúde mantém o foco no desenvolvimento humano (MARQUES, 2003).

Em um estudo desenvolvido com usuários de drogas e pacientes portadores do *Human Imunodeficiency Virus* (HIV), alguns dos participantes informaram que seu relacionamento com Deus era de fundamental importância para suportar a abstinência e para a redução dos sintomas depressivos e desejos suicidas, bem como para manter aguçado o senso de responsabilidade em não transmitir o vírus a outras pessoas (ARNOLD et al., 2002).

Um estudo transversal, descritivo, com abordagem quantitativa, realizado em um ambulatório de referência em HIV/AIDS, de um hospital universitário de Recife-PE, observou que a religiosidade e a espiritualidade desempenham papel importante no enfrentamento dessa infecção e desenvolvimento da doença. O *coping* religioso/espiritual foi utilizado de forma significativa e positiva de acordo com os autores da pesquisa (PINHO et al, 2017).

Entre os participantes da pesquisa desenvolvida em Pedras de Fogo-PB, onde o Grupo de Estudo (GE) foi composto pelos que procuravam os serviços religiosos no mínimo uma vez por semana e o Grupo Controle (GC), pelos que não tinham religião ou iam aos templos com menor frequência, não houve quem respondesse que Deus não tinha importância em sua vida. Bem como não houve indivíduo que se declarasse insatisfeito ou revoltado com o Criador (PEREIRA, 2013), o que caracterizaria o emprego do *coping* religioso negativo (PANZINI; BANDEIRA, 2007). Alguns pacientes encaram o adoecimento como um castigo divino (KOVÁCS, 2007; SAVIOLI, 2004; BOWIE; SYDNOR; GRANOT, 2003), desenvolvendo por vezes sentimento de revolta em relação a Deus, piorando seu estado de saúde (KOVÁCS, 2007; SAVIOLI, 2004). O sentimento de revolta contra Deus muitas vezes surge quando a pessoa se vê diante de uma doença grave. É frequente a pergunta: por que comigo? Por que com meu parente? E são muitos os que abandonam sua fé religiosa e se deprimem. O segredo da força espiritual é sentir-se amado por Deus, pois só seu amor é perfeito e incondicional. Muito perde quem o abandona e se entrega à revolta ou à desesperança (MENDES, 2006).

Cabe às pessoas, que prestam a assistência espiritual, combater as ideias pessimistas, sempre com paciência e compreensão. Kovács (2007) sugere o emprego da música e da arte para dar conforto aos pacientes que se denominam como não religiosos, e a assistência espiritual, para os que se dizem religiosos.

A Religião como forma de enfrentamento do estresse

A Religião pode ser definida como um conjunto de crenças e práticas desenvolvidas no seio de uma comunidade, com rituais nos quais o ser humano aproxima-se do sagrado. Geralmente, suas bases fundamentam-se em textos e ensinamentos que tentam transmitir ao homem conhecimentos sobre a vida, a morte, bem como a natureza das coisas do mundo e como todos devem se portar seguindo determinada conduta moral, conservando o senso de responsabilidade entre as pessoas (Koenig, 2012).

Estresse é a maneira como o organismo reage a estímulos de qualquer espécie, alterando sua homeostase ou equilíbrio. Selye (1984) dividiu-o em duas formas: o positivo também chamado de *eustress* e o negativo ou *distress*. No primeiro haveria uma reação orgânica a uma situação ameaçadora. O segundo poderia ser agudo e intenso, mas de curta duração, ou crônico, quando mais prolongado (Fiamoncine; Fiamoncine, 2003). A pessoa submetida ao estresse mostra-se intolerante e mais agressiva (Yepes, 2003). Pode ser chamado de Síndrome Geral de Adaptação, sendo desenvolvida em três estágios: reação de alarme, estado de resistência e estado de exaustão. Nesse último estágio, o ser humano perde sua capacidade de adaptar-se para voltar à homeostase; surgindo doenças como: distúrbios nervosos, doenças gastrointestinais, alergias, hipertensão arterial e outras (Selye, 1984).

Na verdade, o estresse constitui-se no centro do mal-estar da vida moderna, sendo responsável por doenças como: síndrome da fadiga crônica, caracterizada por um cansaço absoluto, síndrome do pânico, em que os indivíduos se dizem paralisados pela sensação de morte iminente e uma angústia profunda. O homem tenta a todo custo prever situações que lhe seriam indesejáveis, tentando delas se proteger, aumentando ainda mais o medo de enfrentar o mundo fora do ambiente em que construiu sua "segurança"; o que aumenta ainda mais sua angústia existencial (Birman, 2012).

Destaco ainda, como consequência desse estado de esgotamento consequente ao estresse, uma doença que tem surgido com muita frequência na sociedade contemporânea: a síndrome de burnout. A primeira referência a esse termo na literatura foi feita pelo psicanalista Herbert Freudenberger, em 1974 (MONTANDON, PEREIRA e SAVASSI, 2022), fazendo menção a uma condição de exaustão física e emocional relacionada diretamente com o alto nível de exigência nos processos de trabalho. Tomaz e colaboradores (2020) apontaram as práticas religiosas como uma das formas mais expressivas de enfrentamento do burnout pelos profissionais da Estratégia de Saúde da Família, no município de Piripiri, Piauí.

O estresse pode ser causado por fatores diversos, desde agentes físicos, como a exposição a raios eletromagnéticos, o frio, a poluição, o barulho; certos hábitos, como a ingestão de álcool, o uso de drogas, o tabagismo, a má alimentação e a atividade física inadequada. O acúmulo de tarefas a ser feitas no cotidiano bem como a cobrança para o bom desempenho dessas tarefas são causadores de estresse. Existe também o estresse social, resultante da vida urbana moderna, causado por lugares superlotados ou pelo isolamento excessivo do indivíduo. O estresse faz parte de nosso dia a dia, representando mais um evento na teia da vida, devendo ser encarado como tal (BROWN, 1999).

Pessoas submetidas a mudanças muito bruscas em suas vidas como, por exemplo, a morte de alguém próximo, a perda ou ganho de muito dinheiro, o início ou o fim de um relacionamento, podem adoecer mais facilmente, com grande sofrimento. No entanto, os pequenos percalços do dia a dia, como enfrentar uma fila de banco ou simplesmente quando estamos atrasados para algum compromisso também são causas de grande irritação (BROWN, 1999). O fato é que as modificações ocorridas no ambiente são capazes de promover mudanças na função cerebral bem como na organização estrutural desse órgão. Da mesma forma que as experiências agradáveis provocam o surgimento de novas sinapses entre os neurônios, as desagradáveis inibem-nas (CRUZ; LANDEIRA-FERNANDEZ, 2007).

Qualquer tipo de estímulo estressante causa a liberação do hormônio adrenocorticotrópico (ACTH), pela adeno-hipófise, e em seguida do cortisol, pelo córtex suprarrenal. Consequentemente, ocorre o aumento da pressão arterial, do fluxo sanguíneo para os músculos em atividade, ao mesmo tempo em que ocorre a redução desse fluxo para órgãos desnecessários naquele momento; ocorre ainda o aumento do metabolismo celular, da glicemia, da glicólise muscular, da força muscular, da atividade mental e da velocidade de coagulação sanguínea. Dessa forma, o organismo prepara-se para a luta ou fuga (GUYTON, 1989). O estresse é uma reação de defesa, que liga o ser humano a seus ancestrais em uma época primordial, quando éramos guerreiros, caçadores (PEREIRA, 2012). Na verdade, o que está nos acontecendo hoje é que os problemas que nos atingem estão sendo superdimensionados. Um problema no trabalho está deflagrando reações orgânicas em nosso corpo que outrora aconteciam quando cruzávamos com um dinossauro.

Quando por qualquer motivo nosso corpo é submetido a um estresse mais prolongado, a concentração do cortisol na corrente sanguínea aumenta, podendo ocasionar perda óssea e muscular, hiperglicemia, diminuição da capacidade de aprendizado, hipertensão e supressão das respostas imunológica e inflamatória (BALESTIERI; DUARTE; CARONE, 2007). Os neurotransmissores envolvidos na gênese do estresse são vários: o ACTH, o cortisol, a noradrenalina, a dopamina, a serotonina, o ácido gama-aminobutírico (GABA), a glicina, o glutamato, o fator de liberação de corticotropina (CRF), a CCK ou colecisticinina. A dopamina promoveria então o estado de hipervigilância, necessário nestas situações, enquanto a serotonina aumentaria a ansiedade e reduziria o pânico (MARGIS et al, 2003).

Ocorre também a diminuição na atividade de células *Natural Killer* (NK) e de outros mecanismos do sistema imune em pacientes com depressão, estresse prolongado e outros transtornos. O estímulo nervoso deflagrado durante as situações de estresse chega ao Hipotálamo, a Hipófise e as Adrenais, liberando adrenalina e noradrenalina. Os níveis de glicocorticoides no sangue aumentam. Ocorre então o aumento da pressão arterial, da frequência respiratória e cardíaca, bem como do fluxo sanguíneo muscular (DAL-FARRA; GEREMIA, 2010). Nós não fomos programados para viver em permanente estado de alarme ou estresse (LINS, 2010). Tal fato destrói neurônios do hipocampo, inibindo o *feedback* negativo, perpetuando a liberação de substâncias envolvidas na cascata estressora (CRUZ; LANDEIRA-FERNANDEZ, 2007).

O tempo do relógio ou linear é fonte de pressa para a humanidade, participando da gênese de doenças como a hipertensão (LINS, 2010; DOSSEY, 2000). Sua percepção é variável de acordo com a idade e com o que se estiver fazendo. Dessa forma, quando fazemos uma tarefa desagradável o tempo parece se arrastar lentamente. Na verdade, há pessoas com um tipo de personalidade chamada de tipo A,[6] que sofrem em consequência do tempo, sempre com alguma meta a atingir. Seus corpos e mentes têm dificuldade em se acalmar, são ansiosas e mais sensíveis à frustração; por todas estas características desenvolvem doenças cardiovasculares e morrem mais cedo (DOSSEY, 2000).

Apesar de a felicidade não ser realmente encontrada nas condições externas da vida do indivíduo e sim nas internas, o ser humano continua nesta busca desenfreada pelo prazer e pelo entretenimento, o que gera intensa ansiedade, entre outros efeitos danosos para a saúde (LINS, 2010; GOLEMAN, 1999). Alguns pesquisadores apontam a meditação como forma eficaz de combate a essa dependência que temos com relação ao relógio, devido a sua capacidade de "distorção temporal", ou seja, de alterar a noção que temos de quanto tempo se passou do início ao fim da prática meditativa (CARDOSO, 2011).

Pesquisadores apontam a satisfação com o trabalho e o tratamento carinhoso recebido de outras pessoas como um fator de proteção para a doença arteriosclerótica, enquanto que a doença em alguém próximo constitui-se em um forte predisponente para a mesma patologia (DOSSEY, 2000). Podemos ver claramente que a enfermidade em um parente e a insatisfação com as condições no emprego são fontes importantíssimas de estresse, podendo vir a desencadear o estreitamento das artérias, predispondo ao infarto do miocárdio.

Estudo desenvolvido com amostra de indivíduos hipertensos

No estudo desenvolvido em Pedras de Fogo com 139 pessoas portadoras de hipertensão arterial, foram analisados os efeitos da estimulação

---

[6] Personalidade tipo A de acordo com a clasificação de Friedman e Rosenman (1974).

religiosa sobre o uso de medicamentos indutores do sono, antidepressivos e ansiolíticos, bem como a ocorrência de certos sintomas, alguns deles mencionados por Selye (1984) como manifestações do estresse, tais como: irritabilidade, depressão, hiperexcitação, falta de concentração, maior frequência na diurese, insônia, instabilidade emocional, tonturas, sudorese, ansiedade, diarreia, enxaqueca, redução ou aumento no apetite, dores no corpo. Houve no estudo a redução em alguns desses sintomas em muitos dos pacientes, tanto do GE quanto do GC (PEREIRA, 2013; PEREIRA; KLÜPPEL, 2014b).

O estresse pode ainda se manifestar por meio de sintomas físicos, tais como: sensação de desgaste, tensão muscular e náuseas; e de sintomas psicológicos, tais como: angústia e permanente sensação de medo (SOUSA, 2009).

O medo manifesta-se no organismo humano por meio de diversos sintomas como: palidez, coração acelerado, sudorese, aumento da frequência respiratória e diarreia. É um sentimento natural do homem, que pode assumir proporções exageradas, culminando com quadros de ansiedade generalizada, fobias, Transtorno Obssessivo Compulsivo (TOC). Pode ainda gerar alterações na memória (SAVIOLI, 2007). Tais reações podem ser na verdade resultantes da má adaptação do corpo aos estressores a que está sendo submetido (SELYE, 1984).

O estresse crônico pode produzir ansiedade e depressão, trazendo como consequências negativas para o organismo: insônia, desesperança e dores nas costas, uma vez que a coluna se transforma em órgão de choque nesta ocasião (SELYE, 1984).

Uma das soluções que apresento para o combate ao estresse é a oração. Qualquer que seja sua forma, meditativa, contemplativa, espontânea ou repetitiva, terá efeito relaxante sobre o corpo, reduzindo o cortisol sanguíneo e a frequência respiratória.

No estudo desenvolvido com hipertensos, já mencionado anteriormente (PEREIRA, 2013), pude constatar o efeito benéfico da prática religiosa sobre a saúde como ilustra a seguir a fala de uma das entrevistadas:

> "Para mim isto aqui é o paraíso" (referia-se às reuniões para meditar, ouvir músicas religiosas e ler a palavra). Disse-lhe então que seu aspecto melhorara muito. Perguntei-lhe o motivo de estar menos agitada, menos ofegante e até mais sorridente. Ela então me respondeu: "Estou rezando mais" (E 44).

Uma das práticas religiosas abordadas no estudo a fim de reduzir esse estresse foi a meditação. Sabe-se de seus efeitos, funcionando como excelente promotora do relaxamento, reduzindo as respostas ao estresse, na medida em que dá ao praticante uma sensação de intensa paz interior, harmonia com o universo, reduzindo o comportamento agressivo ou descontrolado (Cardoso, 2011). O tema será abordado mais detalhadamente em outro capítulo.

3

A importância da religiosidade/espiritualidade para a saúde das pessoas

Introdução

Desde crianças temos o impulso de buscar a razão e o sentido de nossa existência. Sofremos a influência direta das crenças de nossos pais. A partir dos dez anos de idade, começamos a refletir sobre Deus e sobre sua natureza sobrenatural, sua abstração; isso devido às conexões cerebrais ligadas ao pensamento abstrato, que estão começando a se desenvolver nessa época do desenvolvimento humano. Chega então a adolescência, e nosso cérebro experimenta um grande desenvolvimento cognitivo; o que nos leva a reavaliar e questionar conceitos e convicções antigos e buscar uma "independência biológica", trazendo com isso o ceticismo a nossas mentes. As dúvidas que surgem colocam a figura de Deus em um patamar distante e até inexistente para muitos. Ciência e fé passam a parecer incompatíveis, com exceção daqueles indivíduos com a mente mais aberta, para os quais Deus é aceito como real e vivo. De qualquer forma, nosso cérebro é limitado; e como tal, está longe de desvendar os mistérios e a grandiosidade do universo (NEWBERG; WALDMAN, 2009).

O importante é manter uma postura de receptividade quanto aos aspectos que a religião tem a oferecer, contribuindo para melhorar o relacionamento entre os seres humanos, bem como sua qualidade de vida. Com o intuito de demonstrar quão salutar pode ser para as pessoas ter alguma prática religiosa, escrevi este capítulo.

Espiritualidade

O vocábulo espiritualidade deriva do latim *spiritus*, significando a parte da pessoa que controla a mente e o corpo (RIZZARDI; TEIXEIRA; SIQUEIRA, 2010). Para Eliopoulos (2010), espiritualidade seria o âmago do ser, conectando o indivíduo ao Ser divino. Mas para alguns a espiritualidade não estaria associada à prática de determinada religião e sim com o sentido da vida (ROCHA; FLECK, 2004), com um senso de humanidade, companheirismo, amizade e amor (PESSINI, 2007).

Espiritualidade está ligada tanto à busca do sagrado, por meio de meditação e orações compenetradas, quanto à solidariedade destinada aos irmãos. Assim a iluminação espiritual está intrinsecamente unida à formação de comunidades (VAILLANT, 2010). Um exemplo prático disso são as grandes ordens da Igreja Católica constituídas em torno de indivíduos que dedicavam sua vida totalmente a Deus, como os franciscanos, originados a partir da figura de São Francisco de Assis.

Grün e Dufner (2013) falam sobre duas correntes da espiritualidade humana: uma que viria de baixo ou de nós mesmos, ligada ao autoconhecimento, e outra que viria de cima, baseada nos ideais que nos impomos. A espiritualidade de baixo é aquela que guardamos dentro de nós mesmos, considerando que Deus fala aos humanos, não só por intermédio da Bíblia e dos ensinamentos da Igreja, mas também por meio de nossos sentimentos, sonhos, fraquezas e de nosso corpo. O caminho para Deus percorre o território de nossos erros e fracassos.

A espiritualidade de cima, por sua vez, é trilhada por meio dos ideais que impomos a nós mesmos. Estes são concebidos a partir dos ensinamentos da Igreja, das Sagradas Escrituras e da ideia que o indivíduo faz de si próprio. Tais ideais nascem do desejo humano de tornar-se a cada dia um ser melhor, mais próximo à perfeição, para desta forma aproximar-se mais de Deus. A psicologia aprova a espiritualidade de baixo, na medida em que ela promove o autoconhecimento. Ao contrário, ela não vê a espiritualidade de cima com bons olhos, achando-a perigosa para a saúde, pois ao perseguir formas de vida ideais, o ser humano poderá distanciar-se da realidade.

A espiritualidade de baixo permite ao homem contemplar seus defeitos, descer ao nível mais profundo de suas misérias e a partir daí dar novo rumo a sua vida; por intermédio da humildade, ele estabelece uma ligação genuína com Deus. Não só o Cristianismo, mas também as outras religiões pregam a humildade como essencial para se chegar a Deus. A partir de sensações como o fracasso e a impotência, brota a verdadeira oração, capaz de estabelecer com o Pai um relacionamento profundo.

No entanto, a espiritualidade de cima também é necessária, uma vez que por meio dos ideais que buscamos nos tornamos pessoas melhores. Do contrário, ficaríamos estagnados em nossas limitações, sem ir à procura de todas as possibilidades para as quais fomos criados. É esta espiritualidade que dá às pessoas, sobretudo às mais jovens, o devido entusiasmo para a vida. O perigo desse tipo de espiritualidade ocorre quando o homem estabelece para si próprio ideais muito elevados, incapazes de serem atingidos; quando ele encerra o mal dentro de seu coração, demonizando os outros, atribuindo aos demais as próprias falhas. O melhor mesmo é que haja um equilíbrio entre as duas espiritualidades, mantendo o homem entre seus ideais de perfeição e a realidade de sua condição humana: a imperfeição (GRÜN; DUFNER, 2013).

Os recém-convertidos de certas religiões parecem exagerar na dose da espiritualidade de cima, julgando-se salvos, enquanto os demais que não compartilham de sua fé estariam todos destinados ao fogo do inferno. É necessário cuidado para não fazer da religião o motivo para discriminar nossos semelhantes.

Religiosidade

Há diversos conceitos atribuídos à religiosidade, que pode ser encarada por alguns como uma forma de adoração, de seguimento de certa doutrina compartilhada por outras pessoas (ROCHA; FLECK, 2004). É dividida em religiosidade intrínseca (que vem de dentro, independentemente de rituais) e extrínseca, que depende de fatores externos, associada a rituais e entidades religiosas (BALESTIERI, 2009). A opinião de certos estudiosos é que o indivíduo possui religiosidade e espiritualidade independentemente de sua religião, pois elas seriam condições emocionais e psicológicas de sua existência (ROBERTO, 2004).

A saúde e o surgimento das doenças

O conceito de saúde reflete a conjuntura social, econômica, política e cultural. Tal definição não representa a mesma coisa para todas as pessoas. Dependendo da época, do lugar e da classe social, bem como de valores individuais, concepções científicas, religiosas e filosóficas, o que é considerado saúde ou doença varia muito. Um exemplo disso é que houve uma época em que o desejo de fuga dos escravos era considerado enfermidade mental e tinha até um nome: a drapetomania (do grego *drapetes*, escravo). Esse estranho diagnóstico foi proposto em 1851 pelo médico Samuel A. Cartwright, no estado da Louisiana, no sul dos Estados Unidos. O tratamento proposto era nada mais, nada menos do que o açoite (SCLIAR, 2007).

A Organização Mundial de Saúde (OMS) define saúde como sendo o completo bem-estar físico, psíquico e social. A Constituição brasileira de 1988 torna este conceito ainda mais abrangente, quando diz que ele também é integrado à alimentação, à habitação, à educação, renda, ao meio ambiente, ao trabalho, ao transporte, ao emprego, ao lazer, à liberdade, ao acesso e à posse da terra, bem como aos serviços de saúde (PEREIRA, 2013).

Essa definição de saúde possui um maior grau de subjetividade e de complexidade, levando em conta a individualidade do sujeito. A espiritualidade no processo saúde-doença cabe bem neste contexto, em que o adoecimento pode ser entendido como uma quebra na homeostase emocional e espiritual (CELICH, 2009).

Baruffa (2008) cita ainda a definição de Ivan Illich, que diz que saúde seria a capacidade de adaptação a um ambiente mutável, a capacidade de crescer, envelhecer, curar quando necessário, de sofrer e até de esperar a morte em paz. A sociedade atual, tecnológica e barulhenta, tem deixado de escutar os doentes. Está ignorando que a saúde é, antes de tudo, harmonia do indivíduo, em corpo e espírito, com o ambiente físico, social e cultural, e que a doença seria o oposto, a desarmonia, o desequilíbrio, a comunicação perturbada entre indivíduo e meio ambiente.

Muitos autores da contemporaneidade elaboram um conceito de saúde cada vez mais distante da antiga concepção que considerava apenas a ausência de doenças ou a busca incessante pela cura de enfermidades. O foco hoje em dia tem se direcionado para as especificidades do sujeito e a promoção de uma melhor qualidade de vida, contemplando a atenção à pessoa em sua integralidade. Dessa forma, a dimensão espiritual assumiu papel de destaque, na medida em que contribui para o conhecimento da expressão existencial do ser humano, auxiliando-o no processo de resiliência diante do próprio sofrimento (LIBERATO, 2021).

Saúde também pode ter seu conceito ligado à consciência de bem-estar, advindo do processo de harmonização entre os componentes psíquicos, orgânicos, socioculturais, ambientais e espirituais; o que pode ser obtido quando o homem busca harmonizar-se consigo mesmo e com o universo. A doença por sua vez aconteceria como resultado da fragmentação do ser em: mente e corpo, visão de mundo e organização social, esquecendo-se do caráter totalitário da existência (POZATTI, 2004). A saúde, de acordo com a visão de Bohm, é uma qualidade cinética, harmônica; e como tal é favorecida pelo corpo em movimento, não em estase (DOSSEY, 2000).

O mundo científico tem sofrido intensas modificações após o teorema de Bell, de modo que não mais se concebe a ideia de um mundo puramente objetivo, devendo ser considerada a interação entre a atividade mental consciente e o ambiente em que vivemos, inclusive influenciando o funcionamento de células, órgãos e corpos humanos. A mente seria portanto um legítimo fator determinante do binômio saúde-doença. Talvez esta seja uma explicação plausível para o fato de que alguns pacientes com determinadas doenças vivam mais do que o previsto, bem como alguns indivíduos, que tomam apenas um medicamento placebo, obtenham melhora em seu quadro clínico. Os cientistas tradicionais são relutantes em aceitar tais explicações, pois eles consideram que o efeito benéfico do placebo só é possível se a doença não for real (DOSSEY, 2000).

A doença pode surgir como consequência do significado que a mente dá aos estressores do cotidiano, surgindo desde problemas respiratórios, úlceras, doenças autoimunes até ataques cardíacos e o câncer. Uma ofensa causa um efeito negativo sobre o corpo, dependendo do processamento mental feito pelo indivíduo. O estresse pode reduzir a quantidade de linfócitos T produzida pelo sistema imunológico, predispondo a resfriados comuns, sentimentos negativos, como a tristeza, predispondo as mulheres ao câncer de mama (GOSWAMI, 2006).

O autor acima faz a seguinte relação entre emoções e doenças orgânicas: sob o efeito crônico do estresse o indivíduo reage predominantemente com o sistema simpático, gerando insônia e posteriormente a hostilidade. Quando esta é direcionada a pessoas o órgão afetado é o coração. Se a hostilidade for direcionada ao ambiente, surgirão as alergias. Se a expressão da emoção for direcionada ao sistema digestivo ocorrerá a úlcera. Caso a expressão se dê por meio do sistema respiratório poderá ocorrer a asma. Segundo ele um determinado órgão do corpo é afetado de acordo com o *chacra* comprometido, o qual possui íntima relação com o sentimento reprimido. Caso todo o organismo seja alvo das emoções mal processadas, surgem doenças como a fibromialgia e a síndrome da fadiga crônica.

Saúde e doença não são processos inconciliáveis, mas uma impulsiona a outra. Não devemos entender a saúde como a mera inexistência de patologias. Assim, como adquirir anticorpos sem desenvolver doenças? Nada no universo é estático; e como tal vida e morte são movimentos de uma existência; afinal o tempo não é exatamente aquilo que imaginamos ou medimos com o relógio (DOSSEY, 2000).

A Medicina Ayurvédica entende como saúde o perfeito equilíbrio entre os *doshas* (*Vata, Kapha e Pitta*) ou humores que compõem o organismo humano. Esses *doshas* seriam formados pela junção de dois elementos da natureza; o espaço (*Akasha*) junto ao ar (*Vayu*) formam o *dosha Vata*, já os elementos terra (*Prithvi*) e água (*Apa*) formam *Kapha*, enquanto que a união entre fogo (*Tejas*) e água (*Apa*) constituem *Pitta*. As doenças aparecem quando o organismo perde a capacidade de equilíbrio de seus *dosha*s com as leis da natureza. Somos sensíveis às mudanças climáticas, às desordens nutricionais e emocionais. Os distúrbios digestivos causam danos muito importantes à saúde, pois se acumulam toxinas no corpo, ocasionando o adoecimento de órgãos, de acordo com a sensibilidade do indivíduo. É importante que se esclareça que a boa digestão não deverá ser restrita aos alimentos, mas também às emoções. Estas quando maldigeridas intoxicarão a mente (GUIMARÃES, 2010).

Existem três correntes principais na Medicina alternativa que tentam explicar como ocorre o processo do adoecimento e o de cura. Na primeira delas a mente seria a causadora tanto da doença quanto do restabelecimento da saúde, estando acima do corpo; numa segunda teoria, baseada nos moldes chineses e indianos, a energia vital, *prana* ou *chi*, seria responsável pela cura. E ainda um terceiro modelo se baseia na existência de um Espírito (Deus) e este seria o agente de cura espiritual, por meio da graça de Deus, sobre si mesmo ou direcionada a outrem (GOSWAMI, 2006).

O homem, às vezes, tem um corpo físico em pleno funcionamento, mas a mente e o espírito estão doentes. A doença muitas vezes resulta do esquecimento de si mesmo, podendo ser fruto do próprio doente, resultado de sua tristeza, da perda de sentido para a vida (MIRANDA, 2012). Muitas vezes este estado doentio, manifestado por irritabilidade, insatisfação e até violência contra o outro ou contra si próprio, no suicídio, tem início com a busca da felicidade e da paz de espírito em fatores externos ao ser. Na verdade, o sucesso, o dinheiro e até mesmo um corpo saudável não são suficientes para manter o ser humano em segurança psíquica, com uma sensação de pleno bem-estar. Então é importante a consciência de que devemos buscar meios internos capazes de acionar um mecanismo de defesa capaz de dar o devido suporte quando acontecer uma perda importante na vida. Somente com uma postura mais serena, mais centrada, teremos autonomia para fazer da vida uma bela melodia, deixando o espírito livre como o vento, sempre capaz de seguir adiante, não importando os tropeços na caminhada (LELOUP, 2010).

Ao ramo da pesquisa que estuda a saúde anímica, física e espiritual, dá-se o nome de salutogênese. Ela afirma que, além dos fatores hereditários e ambientais, existe também a influência das relações humanas na manutenção de um corpo saudável e que isto poderá garantir o bem-estar psicológico do ser humano. A ideia de que o indivíduo tem de si mesmo e seu desenvolvimento pessoal também são importantes. A patogênese, por sua vez, ocupa-se dos motivos que levaram o organismo a adoecer (GLÖCKLER, 2010). O adoecimento pode manifestar-se por uma sensação de fraqueza diante da vida, pelo fechamento do indivíduo que, isolando-se, torna-se triste, bem como pelo comportamento cada vez mais dependente dos outros e de uma crescente visão obscura da realidade (LELOUP, 2010). Existe no ser humano algo que lhe é particular, inerente a cada indivíduo, que pode torná-lo resistente às infecções. Em um meio ambiente comum, submetidos às mesmas condições climáticas, às vezes residindo no mesmo domicílio, pertencendo à mesma linhagem genética, uns adoecerão de determinada doença, enquanto outros permanecerão saudáveis.

O componente psicológico faz parte da gênese de doenças como a psoríase, a asma psicogênica, o eczema e a hipertensão. São conhecidos alguns modelos teóricos que tentam explicar esta predisposição de certos indivíduos para as doenças psicossomáticas: os modelos específicos, os quais ligam os distúrbios psicossomáticos a determinados estados emocionais, os não específicos, que negam a existência de tal especificidade de fatores, e, finalmente, os específicos de resposta individual, que afirmam que o distúrbio a ser apresentado pelo indivíduo mostra-se com padrão próprio de resposta. Então alguns desenvolvem problemas gástricos, outros problemas cardiovasculares a exemplo da hipertensão. A teoria mais aceita na atualidade é a da multicausalidade, na qual entram, na gênese das doenças, fatores psicológicos, socioculturais, hereditários, nutricionais, dentre outros. Além disso, sabe-se que o centro cerebral das emoções fica próximo ao de controle visceral e ainda não está bem explicado o mecanismo com o qual ocorre seu inter-relacionamento (GROF, 2010).

De qualquer forma, a criança deve, de acordo com os princípios da salutogênese, adquirir resistência imunológica, entrando em contato com pessoas doentes; assim como os adultos podem aprender a lidar com o estresse. O ser humano precisa desenvolver seus mecanismos de resiliência diante das adversidades (GLÖCKLER, 2010). Esse processo faz parte da evolução humana, da seleção natural.

Sugestões para restabelecer o equilíbrio perdido segundo Goswami (2006):

• Procurar ver sempre o lado positivo dos acontecimentos, dando um novo significado às coisas.

• Praticar hipnose e auto-hipnose, para mudar a personalidade, ajuda no controle da dor, da pressão arterial e da glicemia.

• Usar biofeedback, auxiliando o corpo a exercer um controle sobre suas próprias funções orgânicas.

• Fazer psicanálise, ajudando o indivíduo a recordar seu trauma, olhando-o de frente. É importante pois, muitas vezes, a hostilidade teve uma origem na vida da pessoa, em um passado muito remoto. Entender o que o motivou a ter este tipo de comportamento torna mais fácil modificá-lo.

- Visualização mental dos chacras, a fim de remover qualquer bloqueio. Para trabalhar o *chacra* da raiz, pode-se ter mais contato físico com a terra, andar descalço. Para desbloquear o *chacra* do sexo, deve-se procurar não suprimir o lado masculino e feminino de nossa personalidade, por meio de visualização. Para liberar as energias dos *chacras* do umbigo e do coração, deve-se, respectivamente, acalmar-se e praticar o bem. Para combater a frustração que atinge o *chacra* da garganta, libere sua criatividade, mesmo que seja na cozinha ou fazendo jardinagem, dançando ou escrevendo um diário. Quanto ao *chacra* da testa, para seu desbloqueio é necessário soltar-se, não levar tudo tão a sério. Na parte da cabeça ainda temos o *chacra* da coroa; para que este chacra funcione bem, pratique a meditação ou o *tai chi chuan*.
- Praticar o riso, a meditação centralizada em um objeto ou na respiração, dar um intervalo no trabalho ou nos estudos para aquele cafezinho, abraçar mais as pessoas, fazer uso da repetição mental de um mantra, praticar yoga.

A religiosidade e a saúde

Um aspecto interessante da religiosidade humana ocorre quando o indivíduo enfrenta uma doença grave. Diante da impossibilidade de controlar os eventos que se sucedem em sua vida, o homem passa a ser tomado pelas preocupações e pela ansiedade. A religiosidade tende a atenuar este quadro, na medida em que reforça a ideia de que existe alguém maior exercendo tal controle, da melhor maneira possível para este indivíduo. É salutar, neste momento, colocar-se nas mãos de Deus, sem preocupar-se com o futuro (FORNAZARI; FERREIRA, 2010). Em todos esses casos, o fenômeno religioso se manifesta, estabelecendo-se a ligação do homem ao sagrado, qualquer que seja sua denominação, não importando a fórmula utilizada para atingir este objetivo.

Religiosidade e saúde mental

A religiosidade tem sido menosprezada por muitos profissionais da área da saúde mental, que a consideram inadequada; o que vem sendo contrariado por diversos estudos epidemiológicos que demonstram a importância do tema no âmbito médico. Porém esta perspectiva negativa relativa à religião não era baseada em pesquisas sistemáticas, mas apenas em opiniões pessoais e experiências clínicas de pessoas influentes dentro da academia psiquiátrica, que tiveram pouca experiência com religiosidade saudável em psicóticos. O certo é que os médicos devem compreender os papéis positivos e negativos que a religião desempenha nos pacientes com tais transtornos (KOENIG, 2007d).

A espiritualidade é um suporte importante para o tratamento na saúde mental, pois auxilia nas relações interpessoais, na construção da independência e dignidade do sujeito, devendo por tais motivos ser mais valorizada como recurso terapêutico (SILVEIRA, 2021).

Moreira-Almeida, Lotufo-Neto e Koenig (2006) em revisão sobre o tema "Religiosidade e Saúde Mental" trazem vários estudos, tais como os de Smith, McCullough e Poll que encontraram uma associação entre religiosidade e menor incidência de depressão; além de Paloutzian, Ellison e Loneliness que verificaram maior bem-estar psicológico naqueles indivíduos religiosos. Ainda nesta revisão os autores citam um estudo de Dervic, Oquendo, Grunebaum, Ellis, Burke e Mann que encontraram associação inversa entre afiliação religiosa e tentativa de suicídio em 371 sujeitos com o mesmo nível de depressão. O menor índice de uso ou abuso de drogas lícitas e ilícitas em indivíduos dotados de alguma religiosidade foi relatado por Kendler, Liu, Gardner, McCullough, Larson e Prescott.

As práticas religiosas auxiliam na intepretação dos acontecimentos que se sucedem no adoecimento mental, dando novo significado à vida, amenizando a dor e dando uma maior esperança de cura, funcionando como verdadeiro remédio na desestruturação psíquica, inclusive fazendo o paciente e sua família desempenharem um papel mais ativo durante o tratamento (SILVA; ZANELLO, 2010). Dalgalarrondo (2007) realizou um levantamento sobre a produção científica brasileira, que vem abordando o tema religião e saúde mental, concluindo que a religiosidade presta um grande auxílio no processo de construção e vivência do sofrimento humano em doenças como a ansiedade, a depressão e até em certos tipos de psicose.

Há estudos que relacionam a prática regular de alguma atividade religiosa com melhor controle do isolamento e do estresse (LEVIN, 2011).

Além de outras pesquisas que têm apontado o bem-estar espiritual como uma experiência de fortalecimento no enfrentamento das dificuldades (MARQUES, 2003). Um dos pontos que serve de termômetro importante nesta área é o grande número de instituições norte-americanas que têm incluído em suas grades curriculares a espiritualidade na saúde (MOREIRA-ALMEIDA; LOTUFO NETO; KOENIG, 2006).

A espiritualidade constitui-se em um elemento de grande ajuda para que os pacientes renais crônicos venham a desenvolver uma atitude mais confiante, refletindo positivamente em sua situação clínica e em sua qualidade de vida, pois o reestabelecimento do otimismo e da força é capaz de promover melhora no quadro de ansiedade, angústia e depressão, no qual eles costumam se encontrar (OLIVEIRA, 2018).

Religiosidade e câncer

Levin (2011) aponta para dados que evidenciam a capacidade protetora da afiliação religiosa sobre o risco de se desenvolver câncer, tanto de modo geral quanto para certos tipos específicos. Os judeus são mencionados como exemplo de um povo especialmente protegido contra os cânceres de colo de útero e de pênis; provavelmente devido ao hábito de circuncidar os homens e de que as judias casam-se, em sua maioria, com homens de sua religião e, portanto, circuncidados. Ele cita ainda a menor mortalidade por diversos tipos de câncer como o de estômago, o de pulmão, de ductos biliares, da boca, faringe, próstata e bexiga, também entre os judeus. Também os adventistas do sétimo dia, os mórmons e os hutterianos parecem gozar de "proteção divina" quanto à incidência e mortalidade de diversos tipos de câncer. A espiritualidade/religiosidade apareceu como um importante elemento no enfrentamento dessa doença. Em 50% dos pacientes entrevistados por Fornazari e Ferreira (2010), a afiliação religiosa foi mencionada como fundamental para a sobrevida deles, na medida em que eles se diziam mais fortes e confiantes quanto a seu destino.

Um estudo qualitativo com enfermeiros em um hospital em João Pessoa concluiu que a espiritualidade é fonte de força, conforto e fé para os pacientes que recebem cuidados paliativos, contribuindo para melhorar sua condição e aceitar o processo de finitude. A pesquisa afirma que o apoio familiar, atitudes de esperança e perdão, amor e crença, são necessidades reais desses pacientes e podem ser utilizadas com variadas estratégias (EVANGELISTA, 2016).

Conclusão semelhante chegou o estudo cuja amostra era composta por pessoas que vivem com HIV/AIDS assistidas no serviço de atendimento especializado de um hospital universitário no Rio de Janeiro. Tendo como centro de sua vida a fé, o ser humano passa a ser guiado por uma profundidade de si mesmo que, de alguma maneira, toca o infinito e ganha um sentido que está para além do que pode ser compreendido: concluiu a referida pesquisa (GOMES, 2016).

A religiosidade influenciando o corpo por inteiro

Cardoso (2011) relaciona a prática da meditação com uma redução da frequência cardíaca e respiratória, reduzindo o consumo de oxigênio pelas células, o que é muito bom. Além disso, ele encontrou menores níveis de tensão muscular e ansiedade com relação ao parto nas gestantes que praticaram a meditação por dez semanas, em relação ao grupo que não meditou.

Em nosso estudo, 118 (77,63%) dos entrevistados responderam já ter se curado ou melhorado de algum mal com auxílio da fé. Apenas 34 (22,37%) disseram não ter tido este tipo de experiência (PEREIRA, 2013). Para muitos pesquisadores, um maior bem-estar é encontrado entre os doentes que possuem fortes crenças religiosas, a exemplo do grupo do Vermont Regional Cancer Center e da University Vermont, que estudou 71 pacientes com câncer avançado. Esse grupo também encontrou menos sintomas dolorosos e depressão nesses indivíduos (LEVIN, 2011).

Marques (2003) em seu estudo com 506 pacientes adultos, de ambos os sexos e idades entre 16 e 78 anos, desenvolvido em Porto Alegre, aplicou o Questionário de Saúde Geral, a Escala de Bem-Estar Espiritual, colhendo dados sociodemográficos, com o objetivo de observar se havia relacionamento significativo entre a espiritualidade e a saúde das pessoas. Os dados obtidos confirmaram tal expectativa, principalmente no que tange aos aspectos existenciais.

Levin (2011) realizou uma extensa pesquisa durante quase cinco anos, reunindo cerca de 200 artigos que relatavam a influência positiva da prática religiosa sobre a saúde. Segundo ele, a religião constituía um fator importante para a saúde, independentemente de credo, etnia, idade, sexo, hábitos de vida, método científico empregado ou local onde o estudo foi desenvolvido.

A dimensão sistêmica da doença vem sendo ocultada pela visão mecanicista na medicina atual. Mas é inegável que os acontecimentos da vida com suas inesgotáveis fontes de estresse interferem no binômio saúde-doença. Estamos diante de uma eclosão de doenças autoimunes, depressão, cânceres os mais diversos, gripes fortes, muitas vezes, como um pedido desesperado de socorro do corpo e da alma, diante de uma situação. As doenças na verdade podem ser os sintomas de outro mal mais profundo. Este sim, enraizado nos relacionamentos amorosos e familiares, nas preferências alimentares e na forma de se relacionar com o Transcendente e consigo mesmo, é a verdadeira doença a ser descoberta e tratada (PELIZZOLI, 2010).

O Hinduísmo e o Budismo vivem religiosidades que perseguem a saúde integral da pessoa pela busca incessante do "caminho do meio", que consiste no equilíbrio homeostático, levando-se em conta os aspectos: orgânico, mental e espiritual do ser humano. De fato, nessas religiões, o conhecimento profundo de um eu verdadeiro e o exercício de rituais, festivais, ascese e sacrifícios no hinduísmo e a compaixão, tolerância e bondade, vistas principalmente no budismo, auxiliarão no processo de busca pela tão sonhada "saúde integral", enfrentando a dor, as doenças, o sofrimento e a morte (LIBÓRIO, 2010).

Com base em vários estudos revisados, Seeman, Dubin e Seeman (2003) formularam três proposições. A primeira seria que a religiosidade/espiritualidade estaria associada a menores níveis de pressão arterial; a segunda, por sua vez, afirmava que o indivíduo religioso possuiria um melhor perfil lipídico, e a terceira mencionava que a atitude religiosa estaria diretamente ligada a uma melhor função imunológica.

Um estudo desenvolvido na Inglaterra com católicos praticantes e ateus ou agnósticos, utilizando choques elétricos como provocadores dos estímulos dolorosos e a ressonância magnética para avaliar o cérebro desses voluntários, utilizou uma imagem da Virgem Maria, a *Vergi-*

ne Annunciata, e a figura de uma senhora pintada por Leonardo da Vince, a *Dama do Arminho*, para observar se havia influência sobre o limiar da dor, quando o indivíduo estivesse diante de uma ou da outra gravura projetada no teto do laboratório. Os cientistas responsáveis pelo estudo concluíram que o grupo católico apresentava maior afluxo sanguíneo em uma área cerebral relacionada a uma nova contextualização da dor: a pré-frontal ventro-lateral direita. Essas pessoas relataram sentir melhor a sensação psicológica, ao se concentrarem diante da imagem da Virgem; já o grupo formado por ateus e agnósticos não relatou diferença entre as duas projeções (FARIAS, 2009).

Relacionar-se com Deus para ter saúde

Cultivar uma constante relação com Deus e o mundo espiritual é uma das formas de manter-se saudável, apesar de agressões físicas ou psíquicas (GLÖCKLER, 2010). Qualquer forma de agir que auxilie o homem nessa constante busca por seu verdadeiro "eu", pelo descobrimento do sentido de sua vida, no desbloqueio de sua capacidade de doar-se, torna-se uma medida eficaz de tratamento e cura (LELOUP, 2010).

Tanto a doença quanto a cura podem, segundo Goswami (2006), serem oportunidades para despertar a inteligência supramental. O amor seria o sentimento ideal para desenvolver este tipo de inteligência tornando o ser humano capaz de curar a si próprio. A este tipo de cura, Chopra denominou de "quântica". São as curas repentinas, duradouras e inexplicáveis; verdadeiros milagres. Mas e a doença? Posso dar a ela um significado positivo? Sim. Posso refletir sobre o sentido de minha vida, minhas escolhas, despertando para a vida a meu redor, enxergando melhor as coisas, inclusive aquilo com que Deus me presenteou a vida toda e eu não vi. Assim quando ocorre um salto quântico, liberando o *chacra* do coração, a pessoa passa a ter mais compaixão pelos outros; se a cura ocorreu sobre o *chacra* da testa, o indivíduo transforma a confusão em compreensão intuitiva. Se a região beneficiada for a do umbigo, a baixa autoestima e o orgulho serão substituídos pelo amor próprio e verdadeiro. O *chacra* da garganta curado libera a verdadeira liberdade de expressão, eliminando a frustração. O *chacra* da coroa liberto substitui o desespero pela verdadeira alegria espiritual. Quando a cura ocorre no *chacra* da raiz, o medo é substituído pela coragem. Já o *chacra* da sexualidade trocará a luxúria pelo respeito aos outros (GOSWAMI, 2006).

Esse autor traz ainda conceitos sobre o que seria a saúde positiva, mencionando estudiosos que encontraram em indivíduos tidos como mentalmente saudáveis certas características incomuns na maioria das pessoas: amor incondicional, criatividade, humor e independência ambiental. Segundo ele, existem pessoas que irradiam uma luz de sua própria existência, capaz de atingir a quem está próximo.

O caminho para uma boa saúde passa desde a alimentação, vegetariana de preferência, até os hábitos de não beber, não fumar e cuidar da higiene do corpo e da alma. Esta fica mais saudável quando evitamos os pensamentos e emoções negativos, procuramos boa música e literatura e praticamos yoga. Muito útil, segundo esse autor, seria alternar exercícios de concentração com relaxamento.

As grandes religiões do mundo sempre recomendaram a oração e a meditação como forma de abolir o tempo linear que nos escraviza, lembra-nos de que os segundos estão se passando e, com eles, a vida parece escoar entre nossos dedos. Estas duas práticas nos tornam mais livres do relógio, assemelhando-nos a uma criança, sem preocupações ou compromissos imperdíveis. Livres do mundo, do corre-corre que nos deixa doentes (DOSSEY, 2000).

Efeito da religiosidade sobre o aparelho cardiovascular

Um estudo longitudinal realizado no *Chicago Health* com 229 cidadãos latino-americanos não pretos, afro-americanos e não hispano-caucasianos com idades entre 50 e 68 anos, vivendo nos Estados Unidos, analisou a influência da espiritualidade sobre a frequência cardíaca, para desta forma avaliar o sistema parassimpático; e ainda sobre o período de pré-ejeção (PEP), representante do sistema simpático. O predomínio do controle simpático sobre o coração é um conhecido fator de risco para um infarto do miocárdio. Um estado hipersimpático parece está diretamente relacionado ao estresse humano e às miocardiopatias. As drogas que bloqueiam a ação simpática são uma estratégia de tratamento no pós-infarto do miocárdio. Em contrapartida, o sistema parassimpático exerce ação antifibrilante. Conclui-se, a partir destas considerações, que o equilíbrio relativo entre os controles simpático e o parassimpático sobre o coração é preditivo de bom funcionamento neste órgão. O referido estudo constatou que a espiritualidade pode ser benéfica sobre a regulação autonômica cardíaca, exercendo efeito neurorregulatório protetor sobre o coração (BERNTSON et al., 2008).

Nos resultados da pesquisa por mim realizada, com o grupo de 139 hipertensos, utilizando como divisor de águas entre GE e GC, a frequência aos cultos, detectei que as pressões arteriais, sistólica e diastólica destes indivíduos, em ambos os sexos, não tiveram nenhuma relação com sua religiosidade. Para análise estatística dos dados das medidas pressóricas dos sujeitos da pesquisa com maior atividade religiosa, foi utilizado o teste de hipóteses da diferença entre duas médias populacionais, com observações emparelhadas. Concluiu-se que não houve interferência da religiosidade sobre a pressão arterial dos indivíduos da amostra, com 95% de confiança (PEREIRA, 2013), confirmando outros achados da literatura (FITCHETT; POWELL, 2009). De acordo com esses autores, a maioria dos estudos (73%) que buscam esse tipo de associação não a encontra.

Mas também existem pesquisadores que possuem opinião contrária, afirmando que há interferência da prática religiosa sobre os níveis pressóricos (YANEK et al., 2001; GILLUM; INGRAM, 2006; SIQUEIRA, 2007; KOENIG, 2012; ADALA et al., 2011), conforme descrições a seguir.

Um estudo com 490 mulheres afro-americanas de idades maiores que 40 anos, desenvolvido por pesquisadores da *Johns Hopkins University School of Medicine*, comparou os índices de fatores de risco para doenças cardiovasculares entre as que frequentavam igrejas e as que participavam de grupos de autoajuda, encontrando resultados mais satisfatórios entre as primeiras, inclusive com redução da pressão sistólica em 1,6 mmHg (YANEK et al, 2001).

Outro realizado nos Estados Unidos, agora com 14.475 participantes dos dois sexos, com 20 anos ou mais, avaliou a relação entre frequência a templos religiosos e hipertensão. Após controlar as variáveis de saúde e sociodemográficas, foi encontrada uma prevalência de hipertensão arterial significativamente mais baixa tanto para pessoas que frequentavam cultos semanais quanto para aquelas que frequentavam estes eventos mais de uma vez por semana, comparando aos que nunca iam a igrejas (GILLUM; INGRAM, 2006).

Em uma unidade de saúde da família de Nova Cidade, em Natal, Rio Grande do Norte, Siqueira (2007) desenvolveu um trabalho com portadores de hipertensão e diabetes, utilizando o apoio espiritual como prática complementar de saúde. Tal estudo, desenvolvido com estes pacientes, que se reuniam semanalmente para ler trechos do evangelho, entoar cânticos religiosos e fazer orações, detectou menos sintomas depressivos, redução dos níveis pressóricos e aumento da autoestima e do bem-estar geral referido. A pesquisa mencionada foi qualitativa, utilizando a técnica do grupo focal.

Revisando vários estudos, Koenig (2012) encontrou ensaios clínicos em que ficou evidente que a atividade religiosa dos pacientes reduziu sua reatividade cardiovascular, resultando em menores índices de Hipertensão Arterial Sistêmica (HAS) e Acidente Vascular Cerebral (AVC). A meditação parece ser, segundo este autor, uma excelente atividade para prevenir a doença hipertensiva e coronariana, reduzindo inclusive a espessura da parede das artérias.

Uma pesquisa exploratória com estudo de casos realizada na Bahia, tendo nove pacientes hipertensos, os quais foram submetidos a intervenções religiosas (oração em grupo, intercessão e leitura da Bíblia), encontrou melhora nos níveis pressóricos sistólicos e diastólicos. Os valores médios encontrados antes e depois da atividade foram os seguintes: PA sistólica final com valor de 132,78, enquanto o inicial fora 148,89; PA diastólica final cujo valor foi 79,44 em contraste com a inicial de 90 (ABDALA et al., 2011).

Sabe-se que o tratamento da HAS não deve ficar restrito aos medicamentos, sendo importante a mudança no estilo de vida do doente (SAVIOLI, 2007). O envolvimento religioso pode influenciar na dieta, no sedentarismo e, consequentemente, na obesidade e nas dislipidemias. Além de proporcionar maior suporte social, reduzindo fatores psicossociais. Por todos esses motivos, a prática religiosa constitui uma aliada importante na redução dos riscos para enfermidades cardiovasculares (SAVIOLI, 2006; KOENIG, 2012). É importante ainda alertar para os riscos do abandono do tratamento prescrito, acreditando em uma cura pela fé (SAVIOLI, 2007).

Alguns entrevistados do estudo que desenvolvi (E 22, E 38; E 59; E 74) atribuem seu melhor controle sobre a pressão arterial a sua prática religiosa, devendo ser consideradas suas opiniões no contexto geral subjetivo da pesquisa. Chamou também atenção o fato de não ter havido melhora nos hábitos de vida dos pacientes estudados, podendo esse fato ter se refletido negativamente sobre a pressão arterial, reduzindo o efeito benéfico que poderia sobrevir com a atividade religiosa. Não houve mudanças na pressão arterial das pessoas que participaram do estudo, mas é importante verificar que tanto a PA sistólica quanto a diastólica mantiveram-se com a média próxima da preconizada pelos cardiologistas, ou seja, 120 x 80 mmHg (PEREIRA, 2013).

Alguns pesquisadores relacionam menores valores pressóricos com afiliação religiosa assumida por determinados indivíduos, a exemplo dos adventistas do sétimo dia. Em diversas religiões, o clero obteve índices ainda mais baixos na incidência desta patologia quando comparado ao restante da população. Estudos do *National Cancer Institute* e da *Georgetown University* demonstraram uma menor taxa de mortalidade por hipertensão complicada em pastores batistas norte-americanos (aproximadamente 40%) em relação à população caucasiana em geral, naquele país. Pastores luteranos e episcopais tiveram redução na mortalidade de 41% e os presbiterianos, de 29%, sendo confrontados com as taxas da população em geral. Também há estudos demonstrando menor incidência da hipertensão entre os indivíduos com alguma afiliação religiosa, comparativamente aos dados da população em geral, a exemplo de um realizado na Califórnia com descendentes de chineses, filipinos e japoneses. Aqueles que não tinham afiliação religiosa apresentaram incidência de 29,3% desta patologia. Já os indivíduos com alguma afiliação religiosa obtiveram incidência menor: 15%. Os de afiliação budista demonstraram uma redução ainda mais significativa, com taxa de apenas 10,9% em relação ao restante do público estudado (LEVIN, 2011).

O autor acima mencionado aponta outra pesquisa realizada por pesquisadores da *Harvard School of Public Health* com mulheres zulus habitantes da zona urbana da África do Sul. Entre as mulheres sem afiliação religiosa havia uma maior probabilidade de desenvolver a hipertensão. As mulheres que frequentavam igrejas cristãs apresentavam normotensão arterial. E um terceiro grupo, formado por mulheres sem afiliação religiosa e que acreditavam estar sendo vítimas de feitiçaria, apresentava os maiores índices desta patologia, chegando a valores duas vezes maiores.

Concluindo o capítulo

No mundo contemporâneo, a Ciência despontou como grande libertadora da humanidade, tirando da Igreja parte de seu poder centralizador sobre a cultura e a política (PASSOS, 2006). Houve um período em que a importância da Religião foi negada por alguns cientistas, negligenciando muitos de seus aspectos positivos. Mas ao que me parece estamos vivendo um período de novas discussões sobre o tema. Portanto até mesmo os trabalhos que refutem a hipótese de que a Religião faz bem à saúde terão sua importância, na medida em que fornecerão elementos para que se façam novas pesquisas.

É consenso entre muitos cientistas que o maior envolvimento do indivíduo com as práticas de sua religião ou simplesmente um comportamento mais espiritualizado que o leve a hábitos de vida mais saudáveis, distanciando-o do estresse, refletem-se positivamente sobre sua saúde como um todo. Quando este engajamento religioso e o tratamento médico trabalham em conjunto, os resultados são ainda melhores. Há muitas evidências científicas obtidas nos Estados Unidos, na Europa e na Ásia que correlacionam a religiosidade humana com longevidade, tendo como base religiões cristãs e não cristãs, desde que não haja conflito de crenças na região estudada (KOENIG, 2012).

A meu ver, as diversas formas que o ser humano utiliza para aproximar-se de Deus, dentro de sua fé religiosa, são ferramentas importantes de combate a outro grande mal que assola a humanidade: o isolamento, o encapsular-se em si mesmo e o egoísmo, que trazem como consequências a angústia, a depressão e uma infinidade de outras doenças.

4

A meditação

Introdução

Operacionalmente, a meditação pode ser definida como um procedimento que utiliza uma técnica específica, capaz de promover além do relaxamento muscular, o relaxamento da própria lógica dos pensamentos. Atinge-se um estado autoinduzido (ensinado por um facilitador, mas aplicado pelo indivíduo) por meio do artifício da autofocalização (por intermédio de algo sobre o qual o praticante da meditação focará sua atenção: os movimentos respiratórios, a contagem dos próprios passos, um mantra, um objeto devocional, entre outras coisas). Dentro do processo de relaxamento da mente está a atitude de não analisar nem julgar os efeitos psicofísicos da meditação, bem como de não manter expectativas sobre o que pode vir a acontecer (CARDOSO, 2011).

A meditação é um dos caminhos que nos leva à realidade completa, melhorando nosso equilíbrio físico e psíquico, superando as dualidades e contemplando a unidade absoluta. Existem diversas formas na tradição judaico-cristã, usando elementos corporais, autoinvestigativos ou racionais para harmonizar corpo e espírito. Ao praticar a meditação, o homem "vive seu corpo" e não apenas cuida dele, como aqueles que frequentam assiduamente uma academia (MIRANDA, 2012). Para Wallace (2011), a meditação seria um processo no qual se treina, gradualmente, a mente humana para o conhecimento da verdadeira realidade, por meio da contemplação. Pode ser considerada uma experiência mística, límbica e inesquecível de fé, capaz de produzir uma paz profunda (VAILLANT, 2010).

Meditar é bem mais simples do que se pensa. Esta prática pode ser feita em qualquer posição, até mesmo de pé em uma fila ou caminhando. O importante é manter-se concentrado no momento presente, deixando os pensamentos fluírem livremente. Um excelente modo de fixar a mente no momento atual é se concentrar nos movimentos de respiração. Dessa forma, qualquer atividade pode ser convertida em meditação, sem ter necessariamente um comprometimento religioso (SALZBERG; KABAT-ZINN, 1999).

O hábito de meditar promove modificações no cérebro humano, estimulando pensamentos otimistas e comportamento altruísta (LINS, 2010). É uma das melhores maneiras de se exercitar a atividade cerebral, constituindo-se na principal ferramenta de estímulo às experiências espirituais. O estado de contemplação por cerca de 20 minutos a uma hora pode tornar as vivências religiosas mais reais (NEWBERG; WALDMAN, 2009). A área cerebral envolvida parece ser a mesma ativada durante outros processos de intensa concentração: o córtex pré-frontal e giro cingulado (MARINO JR., 2005). O hemisfério direito é o mais contemplativo, valoriza mais o silêncio e a intuição, sendo mais solicitado durante os exercícios meditativos (BALESTIERI, 2008).

O distúrbio na percepção do tempo é um potencial gerador de doenças, tais como a hipertensão e a arteriosclerose, resultantes do estresse constante e da ansiedade. É o estado de urgência temporal ou doença da pressa, colocando o corpo todo em alerta. Faz-se necessário que o paciente substitua sua forma de lidar com o tempo, desacelerando-o por meio de técnicas meditativas (DOSSEY, 2000). Na meditação ocorre um relaxamento do corpo e uma redução do cortisol, hormônio particularmente envolvido na gênese do estresse. Consequentemente, pode haver um decréscimo da pressão arterial (SAVIOLI, 2007). A meditação promove uma sensação de paz interior, tendo efeitos salutares para o organismo humano (LOTUFO NETO, 2003; CARDOSO, 2011).

Uma revisão de vários estudos que avaliaram a interferência da religiosidade e da espiritualidade sobre as condições de saúde dos indivíduos, feita por Seeman, Dubin e Seeman (2003), encontrou resultados favoráveis da meditação transcendental sobre os níveis de colesterol, de pressão arterial, de hormônios envolvidos nas reações do estresse. No entanto, eles chamam atenção para o fato de tais associações poderem estar relacionadas a uma dieta mais saudável, dependendo da afiliação religiosa do participante, bem como à inibição do cortisol, influenciando positivamente a resposta imunológica. Sugerem que se façam mais estudos, sobretudo tendo como base populações mais representativas e ligadas a religiões judaico-cristãs, analisando também práticas como a leitura de textos religiosos e a oração pessoal ou em grupo.

Com a meditação, tem-se a consciência da natureza insubstancial e até mesmo vazia de um pensamento. Afinal ele é apenas um pensamento. Em contrapartida, o indivíduo acalma sua mente e toma consciência de si mesmo. Quando estamos insatisfeitos, desejando estar em outro lugar, a mente fica agitada e as reações às situações estressantes tendem a ser mal planejadas e, por conseguinte, executadas da pior forma possível; é como se não estivéssemos lá (SALZBERG; KABAT-ZINN, 1999).

Para combater esse estado de desequilíbrio mental, o indivíduo pode lançar mão da atenção plena e da introspecção, acalmando a mente, afastando a agitação (WALLACE, 2011). A meditação auxilia-nos no desenvolvimento de uma habilidade muito benéfica para o funcionamento de nosso cérebro: a compaixão. Na medida em que toleramos as falhas dos outros, aceitamos melhor a nós mesmos, com nossas próprias limitações; isto contribui para diminuir a irritação da mente (NEWBERG; WALDMAN, 2009).

Maneiras diferentes de meditar

Esses dois últimos autores descrevem várias formas de praticar a meditação em "Como Deus pode mudar sua mente: um diálogo entre fé e neurociência" e propõem alguns exercícios para atingir essa meta:

Visualização dirigida: Consiste em usar lembranças e imagens agradáveis para provocar um estado de relaxamento. Uma das formas de realizar esta prática é visualizando algo que se deseja fazer. A concretização de um projeto começa com o estabelecimento de metas. Por meio de técnicas meditativas, podem-se afastar os pensamentos pessimistas e concentrar nos positivos. Um exemplo prático disso é que, ao visualizar previamente um bom resultado de um procedimento cirúrgico, ocorrerão menos complicações pós-operatórias.

Respiração consciente: Nas culturas orientais, a respiração está intimamente relacionada à espiritualidade. Em sânscrito *prana* significa respirar e também quer dizer energia vital. Dessa forma, regular a respiração em religiões, como o budismo, aprofunda a espiritualidade pessoal.

A respiração profunda reduz a atividade do lobo frontal, acalmando a mente, mantendo-a em elevado estado de atenção. Recomenda-se a respiração nasal, pois esta reduz o monóxido de nitrogênio, melhorando a circulação e o funcionamento pulmonar. Isso reduz a ansiedade e ajuda a manter a temperatura cerebral equilibrada.

Bocejar profundamente: Os bocejos conscientes produzem sensação de relaxamento, calma e alerta ao mesmo tempo. Talvez porque haja um envolvimento entre o ato de bocejar e o ritmo circadiano dos seres humanos, interferindo no sono e na vigília. Alivia tensões, reduz o estresse e melhora a coordenação motora, a consciência social e a compaixão. Este exercício estimula a região cerebral responsável pelo estado autoconsciente de reflexão: o *precuneus*, pequena estrutura localizada no lobo parietal. O bocejo pode facilmente fazer parte de programas de redução de estresse, aperfeiçoamento da memória e espiritualidade contemplativa. Ao contrário do que aprendemos em nossas relações sociais, o bocejo não é uma atitude grosseira, mas um mecanismo orgânico de ajuda em manter o estado de alerta, concentrando o cérebro em conceitos e ideias importantes. Também se constitui em um mecanismo de regulação da consciência do eu próprio. Bocejar é uma forma de manter-se acordado em discursos monótonos, além de ser neurologicamente contagioso, ou seja, ao nos depararmos com um bocejo, reproduzimos a ação imediatamente. Constitui em uma ação presente entre várias espécies de animais, como peixes, cães e chimpanzés, servindo para resfriar o cérebro e regular seu metabolismo. Mas só entre os humanos é contagioso. São várias as substâncias envolvidas nesse mecanismo, tais como: a dopamina, a oxitocina, o GABA, a acetilcolina, o óxido nítrico, o glutamato, a serotonina, o ACTH e o hormônio estimulante da melatonina (MSH).

Resposta de relaxamento: Trata-se de uma técnica desenvolvida pelo dr. Herbert Benson, em que o praticante repete um mantra, uma palavra ou uma frase que o deixe calmo e feliz até que o relaxamento se instale. Pode ser empregado um trecho sacro, desde que faça sentido para o indivíduo.

Relaxamento muscular progressivo: desenvolvido pelo fisiologista norte americano Edmund Jacobson é muito útil para as pessoas que acham difícil atingir o estágio de relaxamento; reduz a ansiedade, a dor e induz o sono. Consiste em comprimir e relaxar grupos musculares e, nos intervalos, inspirar ou bocejar profundamente. Deve ser realizado na posição deitada e de preferência com alguém direcionando o relaxamento.

Meditação com vela: É um tipo de meditação que utiliza objetos para manter a mente conectada ao mundo exterior. Consiste em colocar uma vela para queimar em um lugar seguro, ficar respirando calmamente enquanto contempla sua chama, procurando piscar os olhos o mínimo possível e afastar as preocupações da mente.

Oração centrante: Método de contemplação descrito inicialmente em um texto do século XIV, de autoria desconhecida, denominado "A nuvem do não saber". Leva o praticante à presença de Deus, reduzindo a hiperatividade da mente. É difundida entre cristãos católicos, mas guarda algumas semelhanças com práticas budistas. Nesse tipo de meditação a mente deixa os pensamentos fluírem livremente, porém procurando focar a mente em um objeto de contemplação que, no caso dos católicos, é a presença de Deus. No caso dos budistas, seria o estado de consciência pura, com atenção voltada para o universo. É importante o silêncio, a respiração lenta, sem forçar o pensamento, deixando que a experiência se desenvolva com naturalidade.

Meditar caminhando: A associação entre a caminhada e a meditação pode ser de grande valia para indivíduos com doenças cardíacas ou pulmonares. Isto pode ser feito ao focar a atenção na respiração, bem como nos próprios movimentos enquanto se caminha. Dessa forma a articulação dos pés, joelhos, quadril e tudo a nossa volta é percebido. São feitas inspirações e expirações lentas e ritmadas. Esta técnica pode retardar o envelhecimento, melhorar a memória e a atenção.

Otimização da memória: Consiste em emitir sons que fazem sentido para quem realiza a técnica, ao mesmo tempo em que são realizados movimentos com os dedos das mãos; por exemplo: pode ser pronunciado um mantra qualquer e ao mesmo tempo tocar o polegar e o indicador, o polegar e o dedo anular e assim por diante. O ato de cantar estimula o cingulado anterior, atuando sobre a memória e cognição.

Sentando-se com os demônios: Forma de meditação em que o praticante procura observar passivamente seus sentimentos de raiva proferidos a determinadas pessoas das quais se tenha lembrança. Não se recomenda expressar abertamente a raiva, mas refletir sobre ela, substituindo-a por pensamentos mais calmos.

Briga imaginária: Consiste em um exercício imaginário em que se visualiza uma provável situação de conflito com determinada pessoa com a qual estejamos zangados. Procede-se visualizando um diálogo ou discussão com o foco de nossa raiva, como uma preparação para uma situação futura que venha a se tornar real.

Envio de gentileza e perdão aos outros: Consiste em enviar para pessoas das quais não gostamos sentimentos de amor e perdão, pensando em uma qualidade delas.

Wallace (2011), por sua vez, incentiva a prática meditativa por meio de outros exercícios que podem facilmente ser executados pelas pessoas que desejam iniciar-se na meditação. São eles:

Prestando atenção no sopro da vida: Nessa técnica, o indivíduo deverá procurar uma posição confortável, devendo permanecer imóvel por aproximadamente 25 minutos. Sua respiração deverá ser lenta e profunda, na qual as inspirações fluirão suavemente em ondas, imaginando que em cada expiração serão eliminados os pensamentos involuntários e a tensão muscular acumulada. É como se a cada movimento respiratório fosse "soprada" determinada área do corpo que não está relaxada. Quando prendemos nossa atenção a nossa respiração, damo-nos conta do quanto nos deixamos invadir por pensamentos indesejados e do quanto nos agitamos em consequência disso. O corpo humano manda várias mensagens de seu desgaste diário por meio de sintomas físicos ou psíquicos. Nós, porém, insistimos em ignorá-los, deixando-nos conduzir, muitas vezes, ao estado de exaustão. A atenção plena na respiração ajuda a restaurar o equilíbrio, na medida em que damos a nosso corpo o combustível de que ele precisa: o oxigênio.

A união de quietude e movimento: Aqui o corpo deverá ficar relaxado, quieto durante 25 minutos, mas em estado de vigília, com olhos parcialmente abertos. Novamente a respiração deverá ser tranquila, exalando as tensões durante a expiração. Poderão ser contadas mentalmente as respirações ou recitadas no pensamento palavras como "Jesus" ou sons como "Om Ah Hum" em cada movimento respiratório. Em seguida, concentra-se a atenção em um objeto material ou em uma figura sagrada como, por exemplo, a de Cristo. Outras imagens poderão surgir quando a primeira desaparecer, mas por alguns momentos a mente se esvaziará delas. A atividade neural permanece mesmo quando não estamos prestando atenção nelas, por estarmos ofuscados com o mundo a nosso redor. Mas, ao praticarmos este exercício, deixamos vir à tona nosso "eu" mais profundo, observando a face de nossa própria mente, descobrindo dentro de nós mesmos um lugar de repouso, capaz de afastar o som da tempestade ameaçadora do dia a dia que nos cerca. Este processo de autoconhecimento favorece a capacidade que o corpo humano e a mente têm de autocurar-se.

Contemplar a luz da consciência: Após escolher uma posição adequada e respirar lentamente, o praticante deverá se concentrar inicialmente no primeiro plano de sua mente, onde penetram pensamentos e barulhos do ambiente externo, sem prender-se a eles, para posteriormente abandoná-los, passando então a um nível mais profundo da consciência, de onde emergem e se dissolvem os eventos mentais. Ocorre uma espécie de recolhimento dos interesses. Assim, durante a inspiração, é incitada a atenção e, na expiração, dá-se o relaxamento, fazendo a percepção voltar-se para si mesma. Pode haver o desaparecimento momentâneo da identidade pessoal, ou seja, a dissolução do "eu". A natureza da consciência vem sendo explorada no decorrer dos séculos, tanto na vertente cristã quanto na budista, com óticas bem diferentes. De acordo com a primeira, a consciência só se liberta totalmente após a morte do corpo físico; já na segunda, isso pode ser atingido ainda nesta vida, após intenso treino e evolução na prática meditativa.

Sondando a natureza do observador: Em posição deitada ou sentada, sempre da forma mais confortável, o praticante procura relaxar, acalmando a respiração. É importante ter a consciência de que a verdadeira fonte do sofrimento está no apego a pessoas e objetos. Durante este exercício se faz a pergunta: o que é a consciência que está se concentrando? Afinal as aparências o que são? São meras aparências. Tudo o que vemos é reflexo de nossa própria percepção. Desta forma a nossa realidade pode ser transformada, à medida que modificamos a forma de vê-la.

Percepção oscilante: Consiste em voltar a atenção para o interior de si mesmo e em seguida soltar a percepção no espaço, livre de pensamentos.

Repousando na serenidade da percepção: O indivíduo confortavelmente instalado deixa seu olhar vagando, sem deixar sua atenção presa a desejos ou objetos. Ele então direciona sua percepção para os lados, para baixo ou para o céu. Aos poucos, a percepção é direcionada para uma parte do corpo, sempre de forma muito tranquila, com pensamentos lúcidos e calmos, de maneira que a consciência repouse, em um completo bem-estar, conservando o estado de vigília.

O vazio da mente: Consiste em deixar o corpo e a mente em repouso, como anteriormente descrito em diversos exercícios. Aos poucos, concentra-se a percepção para o espaço à frente do observador, liberando-a em seguida, obtendo um relaxamento. Deixa-se questionar sobre qual a natureza da própria mente, observando-a intrinsecamente. Teria essa mente um centro ou periferia? Possui localização? Qual a sua natureza? Ela possui características de existência ou de não existência? Procure descobrir o que está realizando a busca. Não seria sua mente?

O vazio da matéria: Após colocar-se em repouso, deixe-se envolver pela percepção de você mesmo, procurando definir a natureza de sua própria existência enquanto corpo. Faça observações de suas partes e do todo, buscando sempre identificar-se quanto a sua aparência física. Também deverá proceder da mesma forma com os demais elementos do mundo a seu redor. As coisas possuem propriedades próprias ou são apenas rótulos? Seria tudo a nosso redor ilusório? Afinal até mesmo aquilo que conceituamos como vazio foi por nós assim determinado que o seria. Ao dormir, o ser humano vê sua ideia de "eu" se dissolver, mas durante o estado de vigília ele reafirma esse entendimento. O mundo como nós concebemos, cheio de divisórias, coloca-nos muitas vezes uns contra os outros, trazendo-nos como consequências ansiedade, frustrações e conflitos. Estes podem assumir proporções alarmantes, transformando-se em racismo, intolerância com nossos semelhantes. Muito sofrimento pode ser evitado se substituirmos nossa tendência de esperar que tudo gire em torno de nossos desejos por uma atitude mais madura de modificar nossa própria mente, reduzindo frustrações, na medida em que deixamos de nos agarrar aos conceitos de "eu" e "meu".

Repousando em consciência intemporal: Alguns praticantes atingem rapidamente tal estágio meditativo, outros, no entanto, demoram um pouco. Consiste em não fazer nada, deixando a mente totalmente livre, não escolhendo nenhum objeto meditativo para prender a atenção. Haverá em consequência disso um grande relaxamento, podendo surgir a sensação de se estar diante de um vazio estável, dissociado da percepção de dentro e fora, havendo em seu lugar uma natureza luminosa e resplandecente. A ideia de contemplação pura como forma de encontrar-se consigo mesmo e com Deus já foi aplicada por muitos cristãos, a exemplo de Nicolau de Cusa, uma das mentes mais brilhantes da Idade Média, que deixou inúmeras contribuições para a Ciência. Também os contemplativos budistas compartilham desse pensamento, com suas particularidades doutrinárias.

Meditação em ação: Consiste em realizar todas as ações do dia a dia de forma meditativa, moderando o jeito de falar com as pessoas, andando devagar e firmemente, comendo os alimentos com atenção, treinando a todo instante o desapego, evitando a busca pelas aparências e pelas riquezas. É trazer para a vida cotidiana os ensinamentos da meditação. Dessa forma, a vida será mais apreciada e os problemas não terão uma proporção tão grande.

Salzberg e Kabat-Zinn (1999) sugerem a **Meditação da mente alerta** como forma de combate ao estresse. A referida técnica ensina a manter o indivíduo concentrado em tudo o que venha a surgir na mente, entendendo que os pensamentos não são substanciais; isto confere à pessoa que a pratica uma sensação de intensa liberdade, na medida em que ela passa a encarar as coisas como elas são na realidade. Uma das formas de praticá-la é com a atenção voltada para a respiração ou para o alimento ingerido.

Outra forma bastante peculiar de se meditar é aplicando o **Toque Terapêutico** (TT) em alguém. Enquanto impomos as mãos sobre outra pessoa temos de nos concentrar, enviando pensamentos de compaixão para o semelhante que sofre a nossa frente. Deve haver ainda o relaxamento dos envolvidos para um melhor resultado. Dessa forma, acho adequada a classificação do TT como meditação da cura sugerida por alguns autores. Tamanha é sua importância, que será abordada em um capítulo a seguir.

A meditação diante do Santíssimo Sacramento

A contemplação silenciosa diante do ostensório contendo a hóstia consagrada é feita por inúmeros católicos espalhados pelo mundo; sobretudo nas quintas-feiras, quando as igrejas ficam abertas em determinada hora do dia, para que os fiéis a elas se dirijam com este propósito. Mondoni (2002) descreve com maestria os tipos de oração e enfatiza a íntima relação entre meditação e contemplação, afirmando que a prática de uma implica a execução da outra. Segundo ele, na experiência contemplativa, o ser humano experimenta a presença de Deus, deixando-se atingir por sua graça, simplesmente ao adorá-lo. Esse tipo de oração contemplativa pode ser feito diante de Jesus Eucarístico, em uma prática que os católicos chamam de adoração ao Santíssimo Sacramento. O ostensório recobre a hóstia consagrada, dando a impressão de que os raios solares partem do corpo de Cristo. Diante dele, os católicos colocam suas dores, tristezas, problemas. O ato de adoração traz paz, aconselhamento, cura física e espiritual para estes cristãos (ABIB, 2005).

Esse tipo de meditação é recomendável para os católicos que desejam atenuar o estresse da vida diária. É preciso silenciar de vez em quando, acalmar a mente, que na maior parte do dia mantém-se repleta de pensamentos e preocupações diversas. A atitude de simplesmente contemplar Deus em sua magnitude, deixando-se tocar por Ele, é maravilhosamente tranquilizadora. Neste instante, concentrando-se apenas no corpo de Cristo ali presente, podemos senti-lo tão próximo e real, quanto o ar que respiramos. Nesta experiência a pessoa (que acredita) pode ter uma sensação de dissolução de seu ser, ao mesmo tempo em que ela se sente mais unida a um Ser maior. Pode ser repetida mentalmente alguma palavra de significado relevante para o fiel, enquanto ele dissipa as ideias que vão surgindo em sua consciência. O ambiente deverá estar silencioso, pois do contrário não será obtido o resultado esperado. Não se escuta a voz de Deus no barulho. Se forem entoados cânticos, estes não deverão ser contínuos, mas alternados com momentos de absoluto silêncio.

A resistência neural à meditação

Na medida em que vivemos, nosso cérebro se adapta a certos padrões comportamentais; alguns saudáveis, outros não. Na verdade precisamos dessa comodidade para nos sentir seguros. Isto explica o fato de ser tão difícil mudar hábitos arraigados, mesmo que sejam prejudiciais à saúde. Da mesma forma ocorre com o indivíduo que resolve meditar. Ele fatalmente não conseguirá fazê-lo do dia para a noite. O importante é não desanimar. Pode-se começar estipulando para si mesmo pequenas metas como, por exemplo, fazer as refeições de forma mais calma. Os três passos fundamentais que se deve dar inicialmente são: a atenção, o relaxamento e a intenção. Aos poucos irão sendo construídas novas conexões neurais com esses novos hábitos (NEWBERG; WALDMAN, 2009).

Estudo desenvolvido com amostra de pacientes hipertensos

No decorrer da pesquisa com hipertensos desenvolvida durante meu mestrado na Universidade Federal da Paraíba, já mencionada no capítulo anterior (PEREIRA, 2013), realizamos quatro reuniões, ensinando a prática meditativa mencionada por Salzberg e Kabat-Zinn (1999), na qual o indivíduo foca sua atenção em sua respiração, nos movimentos de seu abdome, desligando-se do que está a seu redor e de suas preocupações cotidianas. Esta técnica vem sendo empregada com sucesso para redução de estresse pelo segundo autor citado acima. Não foi possível promover um número maior de reuniões para praticar essa técnica, devido ao decréscimo no número de participantes.

No referido estudo (PEREIRA, 2013), o percentual dos indivíduos que disseram meditar variou de 59% para 67% no grupo de estudo (GE) e de 39% para 24% no grupo controle (GC) de uma etapa para outra. Houve a intensificação da referida prática no grupo mais religioso.

Efeitos da meditação sobre a saúde

A verdadeira saúde, no Hinduísmo, consiste no "conhecimento" de *atman* e de *Brahman*, por meio da meditação, produzindo sabedoria. A renúncia é outro fator que impede o homem de impressionar-se com o colorido da vida, distanciando-se das coisas fundamentais, tornando-se propenso às doenças por ter perdido seu centro, seu equilíbrio.

A meditação pode ser empregada como terapêutica complementar no combate à insônia e às dores nas costas (VALE, 2006). Sbissa et al (2009) realizou revisão sobre o emprego da meditação no controle da pressão arterial, citando resultados animadores tanto na melhora dos níveis tensionais sistólicos quanto diastólicos. Em minha experiência pessoal tenho empregado a meditação, assim como o TT, no tratamento sintomático da cefaleia crônica persistente, com bons resultados.

Roberto (2004) enfatiza a importância da meditação e do yoga para se ter mais saúde. Tais atitudes proporcionam à mente humana o desligamento, mesmo que momentâneo, do fator estressante, levando a um melhor desempenho corporal. Em estado agitado, a mente foca nos problemas, não percebendo a situação com clareza. No estado meditativo, ocorre o contrário: o indivíduo se concentra em outro objeto diferente daquele que gerou sua aflição; o corpo então relaxa, passando a funcionar melhor.

Há relatos de que 10 minutos de meditação diária já afetam positivamente a saúde física e psicológica, reduzindo inclusive a vontade de beber ou de fumar. A prática meditava é capaz de reforçar a resposta imunológica aos agressores, aumentar a empatia e a compaixão, melhorando relações de trabalho e até com pessoas desconhecidas. Pode ser de grande valia no tratamento da ansiedade, da psoríase, da hipertensão, nos distúrbios alimentares, no déficit de atenção, em patologias hepáticas, auxiliando inclusive na luta contra a *Acquired Immune Deficiency Syndrome* (AIDS) e o câncer (NEWBERG; WALDMAN, 2009). Também melhora a qualidade do sono, além de tornar o indivíduo mais satisfeito com sua vida, mais feliz (CARDOSO, 2011), resultando esses efeitos em uma melhor qualidade de vida para o praticante.

Mas sem dúvida alguma o maior benefício da meditação é destinado ao cérebro. Durante muito tempo, a Ciência acreditou que os adultos perdiam sua capacidade de mudança sobre as estruturas cerebrais. Hoje os cientistas estimam que as conexões nervosas possam ser estimuladas por certas atividades como, por exemplo, a meditação. Este tipo de atividade estimularia a neurogênese, constituindo-se em um excelente modo de rejuvenescer a mente (WALLACE, 2011).

Restrições à meditação

Mas com toda técnica a ser utilizada na medicina, a meditação também tem algumas restrições na depressão maior e na esquizofrenia, pois de acordo com a experiência de alguns pesquisadores poderá haver uma piora do quadro. Também deverá haver alguns cuidados nos casos de pacientes usuários de medicamentos psicotrópicos, portadores de fobias ou que tenham sido submetidos a situações de profundo estresse (vítimas de abuso sexual, por exemplo). É importante o acompanhamento de um psiquiatra, entrando a meditação como terapêutica complementar. Não se pode negligenciar o fato de que as técnicas meditativas alteram a química cerebral; não são inócuas. Portanto deve-se evitá-las antes de dormir, após o consumo de bebidas alcoólicas, imediatamente antes de uma sessão de psicoterapia, durante um jejum prolongado ou logo após uma refeição copiosa (CARDOSO, 2011).

Concluindo o capítulo

A meditação não é uma prática exclusiva das religiões orientais, podendo ser executada de diversas formas, em ambientes variados. Mas o silêncio e a concentração são essenciais para seu bom êxito. Durante a meditação, a mente se acalma, assim como as funções orgânicas. Dessa forma, reduz-se o estresse, o corpo relaxa, melhorando as condições de saúde do indivíduo. Ao meditar, abrimos uma conexão direta com o sagrado.

5

Toque Terapêutico (TT): a cura ao alcance de nossas mãos

Introdução

Primeiramente, na exposição do assunto faz-se necessária a composição de alguns conceitos introdutórios. Nosso corpo é composto de campos energéticos e habita um universo onde tudo está interligado, explicando em parte nossa capacidade de influenciar sobre eventos distantes. Sentimos energias boas ou más quando estamos diante de outras pessoas. Muito importante para entender estes conceitos de campo de energia é a Teoria da Relatividade de Einstein, na qual espaço e tempo estão interligados e este último é efetivamente relativo. Não mais poderíamos limitar o que existe no universo a meros objetos sólidos como acreditava Newton. Tudo o que envolve essas variáveis (espaço e tempo) perde então sua significação absoluta, passando a comportar-se como elementos descritores de fenômenos. Em seguida nos deparamos com a necessidade de se definir a luz. Esta pode ser considerada uma partícula e também uma onda e pode ser emitida em pacotes de energia chamados quanta. A ciência vem demonstrando também que a matéria é mutável, e o que existe na verdade são tendências em existir, já que partículas transformam-se em outras, surgem da energia e dissipam-se nela. Na verdade tudo o que há no universo forma um Todo. Se formos partes deste Todo, campos de energia interligados, poderemos absorver poder do universo, capaz de curar, até mesmo a distância (BRENNAN, 1995).

Levin (2011), uma das maiores autoridades mundiais no estudo da Espiritualidade e Saúde, reconhece que há algo mais do que os genes e os hábitos de vida corretos na concepção de um organismo saudável. São os fatores espirituais. A esta medicina que engloba o tripé mente, corpo, espírito ele denominou teossomática.

Dossey (2007), outro importante pesquisador nessa área, é um defensor da não localização da mente. Em seu livro, ele divide a Medicina em três eras: a primeira seria a tradicionalista ocidental, a organicista; a segunda seria a que considera as influências da mente na gênese e cura de doenças; e finalmente a terceira seria a que defende a existência de uma mente não aprisionada ao cérebro, a interligação entre os indivíduos, o diagnóstico intuitivo e as curas milagrosas.

Como veremos adiante, o toque terapêutico tem íntima relação com esta última visão da Medicina, pois detém em seus fundamentos a interconexão dos campos energéticos humanos, a concentração mental, a intuição durante a avaliação diagnóstica dos pacientes, a transferência energética entre pontos do corpo do indivíduo ou mesmo entre corpos distintos e a decisão também intuitiva no momento de cessar a aplicação.

Força vital e polaridade

A força vital é um tipo de energia, de corrente animadora da vida, idealizada como um campo energético ao redor do corpo, direcionada pela inteligência, que pode fluir das mãos de qualquer pessoa. No decorrer dos tempos recebeu diversas denominações, tais como energia bioplásmica, fluido vital, energia biocósmica, bioenergia, entre outras. Ela flui pelo corpo, podendo estar enfraquecida ou parcialmente bloqueada. As técnicas de toque utilizam a polaridade, método capaz de abrir pontos possivelmente bloqueados, atuando como um relaxamento capaz de curar (GORDON, 1978).

A força vital faz parte de nós mesmos, mas tem passado despercebida. Podemos experimentá-la ao esfregarmos uma mão na outra com vigor e em seguida verificarmos uma energia entre elas, após separá-las. A impressão é de um formigamento, de uma vibração, de um campo magnético. Também podemos sentir tal força se outra pessoa fricciona as mãos e colocamos uma de nossas mãos entre elas e as movemos. Estas percepções são facilitadas se o indivíduo estiver relaxado (GORDON, 1978).

Histórico

Foram encontrados registros na História que datam de 5.000 anos, além de figuras rupestres existentes há cerca de 15.000 anos, demonstrando o uso das mãos no tratamento de doenças (KRIEGER, 2000a).

Há relatos históricos mencionando o uso da imposição de mãos sobre as pessoas com a finalidade de proporcionar-lhes a cura, a exemplo das passagens bíblicas: Mc 16,18, Jesus envia os discípulos em missão, autorizando-os a curar os doentes impondo-lhes as mãos; em At 9,12 e At 9,17, Saulo é curado da cegueira por Ananias quando este lhe impôs as mãos; e também em At 28,8, é narrada a cura de um doente com febre e disenteria pelo então convertido Paulo, o qual lançou mão do mesmo recurso terapêutico.

As versões mais modernas dessa terapêutica recebem outras denominações, quais sejam: terapia de polaridade ou toque terapêutico (TT), como é mais conhecido nos dias atuais. No primeiro caso, temos o médico austríaco Randolph Stone como fundador (1914-1972) e, no segundo, temos a enfermeira norte-americana Dolores Krieger.

Em sua obra "As Mãos, como usá-las para ajudar ou curar", Krieger (2000a) faz diversos relatos de como esta força pode ser usada na cura de diversos problemas de pessoas e até de animais. Ela passou a estudar esta técnica após conhecer Dora Kunz e Oskar Estebany que praticavam, com sucesso, a imposição de mãos em pacientes. A pesquisadora concluiu, após observação de inúmeros casos, alguns deles ocorridos em hospitais públicos ou privados, que todo ser humano pode curar por meio do uso das mãos; ensinou o TT a enfermeiros, médicos e até aos pais que tiveram a oportunidade de promover o desenvolvimento de filhos nascidos prematuros com poucas chances de sobreviver. Estebany, um coronel da cavalaria húngara, começou a exercer sua função de curador acidentalmente, ao curar seu próprio cavalo com orações, conversa e massagem. Após curar uma criança, filho de um vizinho seu, espalhou-se sua fama de curar também pessoas. Krieger ficou surpresa com a simplicidade do processo, passando a observar e anotar tudo com rigor.

Para Krieger são importantes alguns fatores tais como: a intenção de curar as pessoas e a transferência de energia do ambiente para o paciente, por intermédio de um terapeuta (BALESTIERI; DUARTE; CARONE, 2007).

Dora Kunz tinha uma sensibilidade extraordinariamente apurada em detectar áreas que precisavam de restauração energética, além do que acreditava que qualquer pessoa podia aprender esta arte. Dolores Krieger foi então sua aluna e, posteriormente, dedicou-se ao estudo do TT em seu pós-doutorado, passando a difundi-lo (KRIEGER, 2000a).

Tipos de terapia do toque

A Medicina Alternativa e Complementar é muito abrangente, englobando desde terapias baseadas no uso de vitaminas, dietas especiais, massagens e Medicina Ayurvédica até o emprego das chamadas terapias energéticas. Como exemplo destas últimas tem-se o Reiki e o Toque Terapêutico (GOLDROSEN; STRAUS, 2004).

Toque terapêutico

Esta terapia consiste em impor as mãos sobre o paciente a certa distância de seu corpo para lhe restabelecer a energia por um período de tempo variável, chegando a 25 minutos (KRIEGER, 2000a).

Ela é um método simples que visa a restaurar o fluxo energético das pessoas, que podem estar sofrendo a ação do medo, da preocupação ou outros fatores. Dessa forma são criadas novas perspectivas na terapêutica. Ela também pode ser considerada um verdadeiro mistério, uma vez que não foi suficientemente estudada (GORDON, 1978).

Krieger (2000a) divide o processo em cinco fases distintas, mas não obrigatoriamente sequenciais:
- autocentramento;
- avaliação do paciente;
- desenrugamento do campo;
- direcionamento e modulação da energia;
- percepção do momento adequado de parar, o qual se dará por ocasião de não mais serem percebidas diferenças entre as áreas do corpo do doente.

Os praticantes do TT relatam diversas sensações percebidas ao impor suas mãos sobre os receptores, tais como a sensação de buracos, de calor, estiramento, pontadas, formigamentos, aumento na pressão da palma das mãos, entre outros (SILVA; BELASCO JÚNIOR, 1996).

Em Krieger (2000a; p. 49) nós temos: "A base funcional do Toque Terapêutico está no direcionamento inteligente que o agente de cura dá às energias vitais, fazendo-as fluir de si mesmo para o paciente (a pessoa doente)". Ela acredita no potencial que todo ser humano tem para curar, desde que esteja disposto a se superar para ajudar seus semelhantes. Outro ponto importante é que o tempo parece não passar da forma como estamos acostumados. Algumas de suas alunas fazem relatos surpreendentes de como suas mãos funcionaram com os sentidos da visão e da audição durante o centramento. É importante que se diga que sem este não há cura. Essa pesquisadora observou ainda que o aplicador do toque geralmente experimenta mudanças profundas em seus próprios hábitos de vida, como se desenvolvessem capacidades antes latentes, tais como a telepatia. Ela chega a comparar o TT ao yoga e à meditação. Para ela, o agente de cura deve estar bem resolvido em seu âmbito psicológico para entrar em sintonia com o doente. Patologias como o câncer e as doenças psiquiátricas exigem uma interação profunda com o paciente e o aplicador deverá estar preparado.

Outro aspecto interessante de seus estudos foi quanto às alterações do Eletroencefalograma de agentes de cura, inclusive dela mesma, com ondas rápidas, podendo este fato estar relacionado com a meditação atenta.

A causa da doença

Qualquer dor física ou emocional é reflexo da força vital bloqueada. Deduzimos que se o amor é o sentimento gerador da força vital, como veremos adiante, tudo que o bloqueia causa doenças. Nutrir sentimentos de raiva, rancor, inveja ou tristeza produz repercussões negativas para a saúde. Existem pessoas que notoriamente possuem uma aura de negatividade muito forte, a qual pode ser sentida quando nos aproximamos delas. Com certeza, elas estão passando por forte estado de desequilíbrio energético e isto se refletirá em sua própria saúde (GORDON, 1978).

A doença é um processo, no qual primeiramente o indivíduo esquece quem é e posteriormente passa a ter pensamentos e ações maléficos para a saúde; até que finalmente se instala a patologia, como sinal de completo desequilíbrio orgânico. A pessoa, diante de certos impasses da vida, passa a ter pensamentos de sentido contrário e, se não soluciona o impasse, passa a ter medo da situação em questão. Este sentimento é extremamente prejudicial para a mente do indivíduo e provocará bloqueio energético que levará ao comprometimento orgânico. No restabelecimento da saúde, faz-se necessário que a pessoa se reencontre antes de qualquer coisa. Seria bom que o paciente se perguntasse a cada vez que adoece o que seu corpo está tentando lhe dizer. Também é útil fazer um resgate de situações passadas em que adoecemos para compreendermos melhor este processo (BRENNAN, 1995).

Para melhor ilustrar o que foi dito acima, citamos o exemplo de uma pessoa que se encontrava extremamente insatisfeita com seu trabalho, mas permanecia no emprego pela necessidade financeira de sobrevivência de sua família. Mas aos poucos começou a manifestar sinais de adoecimento físico, com alteração do sono, do humor, da pressão arterial. Seus pensamentos eram conflitantes: odeio meu trabalho; preciso dele para viver, portanto não posso sair deste emprego. Passou então a ter pavor de ir ao trabalho, a ponto de ter pesadelos com esta situação todas as noites. Decidiu arriscar e aventurar-se em outra carreira; seus problemas de saúde começaram então a desaparecer. Outro caso é o de uma mulher que sofria com um casamento falido, pois o marido era muito grosseiro, adúltero e alcoólatra. Mas ela pensava nos filhos e dizia para si mesma que não poderia se separar e que nada poderia fazer para mudar aquela situação. Passou a desenvolver sentimentos autodestrutivos, pensava constantemente em suicidar-se e, ao consultar-se com um médico, passou a ser dependente dos remédios de tarja preta. Mas os medicamentos não conseguiam tranquilizá-la ou lhe devolver o ânimo para viver. Foi quando passou a frequentar mais sua igreja, orar sozinha em casa e adquiriu forças para enfrentar o marido, exigindo-lhe uma mudança. Seu casamento foi melhorando, na medida em que ela ia se transformando em uma mulher mais forte, com maior autoestima. Começou a dizer para si mesma que tudo na vida tinha solução e que Deus a ajudaria em qualquer que fosse a situação. Deixou de pensar na morte. Passou a reverenciar a vida e livrou-se dos medicamentos controlados.

Chopra (2011) exemplifica muito bem em seus relatos o poder criativo da mente humana, que participa tanto da gênese quanto da cura de doenças. Ele assim como Lins (2010) são enfáticos ao afirmarem que o sentimento de compaixão é de suma importância para a saúde mental, sendo inclusive utilizada em técnicas de meditação. Outro denominador comum entre esses dois autores é a visão da atual Física Quântica, que com seus experimentos tenta explicar a relação entre mente, corpo e consciência. E como veremos adiante, esta nova forma de ver o mundo, em que a onda ou partícula apresentam-se como possibilidade em ser (LINS, 2010) e que a fluidez do corpo humano lhe permite que se misture à mente (CHOPRA, 2011), muito tem a ver com a fundamentação científica encontrada por Krieger (2000a) para o TT, principalmente quando ela descreve um dos estados de consciência (o 5º) desenvolvidos nesta prática, como um diálogo entre a personalidade do terapeuta e do paciente, em um âmbito mais profundo.

O paciente se transformando em curador

Para ter saúde, de acordo com as novas concepções, o indivíduo deve ter: corpo, emoções, espírito e intelecto em equilíbrio. A célula é capaz de curar a si mesma, pois o organismo vivo possui instinto de autopreservação. Para que ocorra a cura é necessário um ambiente favorável, com pensamentos positivos, boa alimentação e atividade física. A polaridade é ótima para relaxar o indivíduo, mas a boa saúde requer algo mais. A fonte do desequilíbrio deverá ser removida. Os pensamentos são dirigidos às células; se nutrirmos bons sentimentos, como os de amor, gratidão e felicidade, externamos mais saúde. O ódio é péssimo para a saúde. Nossa mente tem poder de afetar nosso corpo, pois nós nos tornamos aquilo em que acreditamos. Será tudo mais fácil se encararmos os problemas como oportunidades de aprendizado e a vida como um desafio a ser superado. Ainda mais importante que o pensamento é a palavra falada. Outros componentes a serem considerados na promoção da saúde são: cultivar boas amizades, frequentar ambientes positivos e praticar boas ações. Fazer o bem é um excelente remédio para os males que assolam a humanidade (GORDON, 1978).

Em seus relatos, Krieger (2000a) fala que o agente, ou seja, aquele que aplica o toque, na verdade não cura o paciente. Ele acelera o processo a ser desenvolvido pelo próprio doente. Segundo os relatos de algumas alunas suas, o próprio paciente que já tem experiência com a aplicação do toque pode curar a si mesmo, impondo suas mãos sobre o próprio corpo. Interessante também é seu relato de que o algodão pode ser empregado para potencializar os efeitos do TT.

No tocante à alimentação, é importante que se diga que os alimentos também possuem força vital. Na atualidade, os alimentos sofrem muitos processos de transformação, quais sejam: o cozimento, a adição de conservantes, os congelamentos. As substâncias químicas neles contidas transformam-se em outras, muitas vezes prejudiciais à saúde. Atitudes como comer relaxado, quando está com fome e devagar, são medidas muito úteis para ter saúde. Também não se devem fazer mudanças alimentares muito bruscas nem se privar demais de alimentos desejados (GORDON, 1978).

É fundamental que se diga ainda quão importante para a saúde é o ato de comer de forma consciente, observando, saboreando o alimento, interagindo com ele. A própria meditação pode ser feita no ato de alimentar-se, de maneira a evitar comer por gula, por compulsão (SALZBERG; KABAT-ZINN, 1999).

Efeitos do toque terapêutico sobre a saúde

Ao deparar-se com o sofrimento, o ser humano sente o impulso de reformular alguns conceitos do processo saúde-doença, considerando aspectos tais como a intuição, o holismo e a força vital, vendo-se forçado a repensar suas práticas (TESSER; BARROS, 2008; GOSWAMI, 2006). No entanto alguns autores alertam para o fato de não ser ainda o TT uma técnica de eficácia comprovada pelos métodos tradicionais da Medicina. Desta forma, há o risco de deixar este processo terapêutico totalmente à margem do cuidado, quando na verdade é justo que seja usado como terapia complementar em muitos casos (HUFF; MCCLANAHAN; OMAR, 2006).

Goswami (2006) fala que para o processo de cura fluir satisfatoriamente o indivíduo deve começar formulando para si mesmo sua intenção de curar-se; depois esta intenção de cura deve ser estendida para os outros, atingindo o todo. Depois, a intenção se transforma em oração e esta posteriormente se converte em silêncio, meditação. Essa metodologia para a cura quântica é condizente com os princípios do TT.

Quanto mais necessitada estiver uma pessoa, mais ela sentirá os efeitos da energia que estiver sendo empregada. Os efeitos serão maiores quando o receptor estiver relaxado. O toque terapêutico recarrega a força vital, equilibrando a aura e, por conseguinte, os nervos e em seguida os músculos e ossos. Mudanças na postura do receptor, bem como em seu psicológico, poderão ser facilmente notadas; se o indivíduo sente a necessidade de chorar deverá ser encorajado. Alguns poderão cair em sono profundo, outros se sentirão revigorados. De uma forma ou de outra, obterão melhora em suas condições de saúde (GORDON, 1978).

É bom lembrarmos que muitas vezes o indivíduo levou muitos anos naquele processo de desequilíbrio e não sairá dele rapidamente; portanto o efeito benéfico do TT não será prontamente notado, em se tratando de situações crônicas; no início, recomendam-se três ou quatro sessões por semana. Com a melhora do quadro, reduz-se a duas e, por fim, a uma vez por semana. Aplicar as sessões em série é mais benéfico que fazer o tratamento de uma só vez (GORDON, 1978).

Em um levantamento bibliográfico feito por Vasques, Santos e Carvalho (2011), foram encontradas diversas pesquisas sobre o TT, tanto como terapia complementar isolada como em comparação a outros métodos, mencionando seus efeitos positivos sobre diversos aspectos da saúde, tais como a redução da fadiga, da dor, da pressão arterial, melhora do sono, redução da ansiedade e da agitação. Esta revisão cita trabalhos de Gerber (2000), Krieger (1995), Savieto e Silva (2004), Gomes, Silva e Araújo (2008), Marta e colaboradores (2010), entre outros.

Há pesquisas inclusive no Brasil enfocando os efeitos benéficos do TT em diversas áreas da Medicina. Como exemplo cita-se um estudo realizado na Escola de Enfermagem da Universidade de São Paulo, com cobaias (ratos da raça wistar, machos e fêmeas) para analisar o efeito dessa terapêutica sobre a cicatrização de feridas. As cobaias foram distribuídas em dois grupos: o controle, que recebia água sem qualquer tratamento especial, e um experimental, que recebia água energizada pelo TT. A pessoa que cuidava dos ratos não sabia qual o grupo abastecido pela água energizada ou pela água simples. Este estudo demonstrou um efeito de aceleração sobre o processo cicatricial da amostra (SAVIETO; SILVA, 2004).

Em um estudo feito com 26 graduandos e quatro graduados da Escola de Enfermagem da Universidade de São Paulo, participantes de um minicurso de 12 horas de duração, receberam noções teórico-práticas dessa técnica e responderam a questionários antes e depois do treinamento. Observou-se o relato de sensação de maior sonolência, alívio de dores de cabeça, maior vontade de chorar, aumento no bem-estar, alterações na frequência respiratória e calma durante a prática (SILVA; BELASCO JÚNIOR, 1996). É importante frisar que essa vontade de chorar pode ser resultante do processo de relaxamento da tensão experimentado pelo indivíduo.

Em um estudo com 30 idosos em uma unidade de saúde da família em Florianópolis, constatou-se uma redução na intensidade da dor crônica, bem como em sintomas de depressão e uma melhora na qualidade do sono após terem recebido oito sessões de Toque Terapêutico (MARTA et al, 2010).

Uma pesquisa realizada com 42 estudantes universitários da Escola de Enfermagem da Universidade de São Paulo encontrou uma redução significativa nos níveis de ansiedade destes indivíduos, após a execução de três sessões do TT. Foi utilizado o Inventário de Ansiedade Traço-Estado (IDATE), e feita a divisão aleatória da amostra em dois grupos: o controle, que recebeu sobre si movimentos feitos com as mãos do aplicador, que se assemelhavam aos do TT, sem nenhuma intenção de curar; e o experimental, que recebia a aplicação do TT. Foram encontrados resultados mais favoráveis ao grupo experimental tanto ao final da 1ª, quanto da 2ª e da 3ª sessão (GOMES; SILVA; ARAÚJO, 2008).

Em minha experiência pessoal e familiar, obtive bons resultados com o TT no tratamento da cefaleia, da dor óssea localizada (em membros superiores e inferiores), no tratamento da amigdalite, de vômitos e na redução da ansiedade. Não sou uma médica puramente naturalista, faço uso de medicamentos alopáticos em quaisquer situações que julgue necessário. Mas procuro ser cautelosa com o abuso de analgésicos, anti-inflamatórios e ansiolíticos. Quando algum membro de minha família está com dor, procuro aplicar o TT. Se desta forma for resolvido o problema, por que apelar para remédios? No caso da amigdalite, a paciente fui eu mesma. Tratei-me inicialmente com antibiótico e anti-inflamatório, posteriormente com corticoide. Como o quadro infeccioso não se resolvia, apelei para o TT, antes de consultar um especialista. Fiquei curada. Quanto ao quadro de vômitos e febre, ocorreu com minha filha, que na época possuía apenas oito anos. Ela acordou subitamente apresentando esta sintomatologia. Como os antitérmicos e antieméticos possuem sabor desagradável, induzindo ainda mais as náuseas, optei por tentar inicialmente o TT e deu certo. Após meia hora de aplicação contínua em todo o seu corpo, a febre e os vômitos cederam e ela dormiu tranquila. Para minha surpresa ela acordou no dia seguinte como se nada tivesse acontecido de errado na noite anterior. Em relação à ansiedade, pude observar que o paciente, ao receber o TT, é estimulado a relaxar e a respirar de forma lenta e profunda, o que contribui para reduzir seu quadro ansioso, sua frequência cardíaca e respiratória.

Balestieri, Duarte e Carone (2007) afirmam que as terapias, sejam elas manipulativas ou energéticas, atuam provavelmente sobre os sistemas nervoso, endócrino e imune, modulando seus parâmetros, reduzindo o cortisol e, por conseguinte, o estresse.

Krieger (2000a) em vários de seus estudos teve um resultado que a surpreendeu quanto às variáveis: fé e sugestão. As melhores respostas ao TT ocorreram justamente com os céticos. Segundo suas observações, o toque conseguiu reduzir ou eliminar sintomas como náusea, dispneia, taquicardia, dor e até melhorar a circulação periférica deficiente e ativar a sensibilidade de pacientes com algum tipo de lesão que impossibilitava a transmissão nervosa para determinada área do corpo. Também verificou um aumento do peristaltismo intestinal e dos níveis de hemoglobina com uma rapidez surpreendente, além de servir para baixar a febre.

Pacientes especiais

As crianças podem e gostam de participar desse processo terapêutico, dão e recebem amor por meio desse gesto. No geral, elas não têm grandes desequilíbrios energéticos. A técnica pode ser usada nas crianças que resistem em ir para a cama, com o auxílio do movimento do ventre. Pacientes idosos relatam maiores benefícios se receberem várias sessões de polaridade ao invés de apenas uma de longa duração. A liberação de toxinas poderia ser muito exacerbada e o idoso poderia não ter capacidade para suportar (GORDON, 1978).

Recomenda-se trabalhar com tranquilidade e por um curto espaço de tempo, principalmente em crianças e idosos (KRIEGER, 2000a).

Princípios e atitudes

Princípio da polaridade

O corpo tem polos positivo e negativo. A carga positiva concentra-se nas partes superior e direita enquanto que a carga negativa está na porção inferior e esquerda. Quando há um desequilíbrio orgânico torna-se necessário ligar os lados direito e esquerdo. Portanto o terapeuta deve direcionar sua mão direita ao lado esquerdo da pessoa, e sua mão esquerda ao lado direito do paciente. Ao trabalhar o sentido vertical, aproxima-se a mão esquerda da porção superior do corpo e a mão direita à porção inferior. Os dedos das mãos também têm carga diferente. Assim o polegar tem carga neutra, o indicador possui carga negativa, o dedo médio tem carga positiva, enquanto o anular possui carga negativa e o mínimo apresenta carga positiva. Mas o principal disso tudo é sabermos que o amor é o verdadeiro poder gerador dessa força vital; se este sentimento estiver bloqueado, a força vital também estará (GORDON. 1978). Krieger (2000a) diz que nosso corpo possui um fluxo constante de energia, em que funcionamos como um sistema aberto com constante recepção, transmissão e processamento energético.

De acordo com Gordon (1978) é necessário no uso da polaridade:
- Por parte do aplicador: atitude de amor para com a pessoa que está recebendo; não se deve ministrar o TT se estiver com raiva da pessoa; deverá estar relaxado; não pode estar doente, muito cansado, abalado emocionalmente ou sob o efeito de drogas; deverá sacudir as mãos para baixo ou lavá-las com água fria a fim de livrar-se da contaminação com energia estagnada; caso sinta-se exausto após ministrar uma sessão, recomenda-se um banho frio ou simplesmente que descanse; caso sinta os mesmos sintomas do receptor após dar uma sessão, deve acalmar-se,

pois em breve tudo voltará ao normal; poderá identificar pontos dolorosos ou de desequilíbrio energético, mas a menos que ele seja médico não deverá falar em diagnóstico de doenças. Não deverá falar em tratamento ou cura de patologias. É prudente ter cuidado para não sugestionar o receptor fazendo-o acreditar que está ou não doente.

• Por parte do receptor: a concentração não é obrigatória para se receber os efeitos da terapia, pois a energia flui de qualquer maneira. O importante é sentir-se bem com a pessoa que está ministrando o TT; após uma sessão recomenda-se que tome um copo de água ou de suco. Deve-se evitar atitude de negação da doença, sob pena de impossibilitar a cura.

Modulação e transferência da energia humana

Krieger (2000a) acredita que o agente de cura possui a habilidade de direcionar e modular energia para o organismo deficiente. Isso acontece de dois modos: de sua própria energia, desde que ele esteja saudável, ou do próprio doente (da área com mais energia para outra com menos energia). Ela admite que embora a Ciência ainda não comprovasse este processo, atuou como observadora em diversos casos clínicos onde houve a melhora e até da cura de pacientes atendidos por Oskar Estebany e por Dora Kunz. Esta capacidade de modulação é, segundo a pesquisadora, uma capacidade munida de muita sutileza, fundamentada na prática em abrandar os fluxos energéticos para que as necessidades do paciente sejam ajustadas.

Dessa forma, se em uma área o agente de cura percebe calor, deve esfriá-la; se outra região está fria, tenta aquecê-la; em área de choque ou formigamento, a intenção é abrandá-los; caso perceba uma pressão, esta deverá ser ativada; se houver pulsação, deverá ser ritmada (KRIEGER, 2000a).

O toque terapêutico usado no diagnóstico

Durante seus estudos sobre o tema, Krieger (2000a) faz relatos de suas experiências compartilhadas com Dora Kunz, incluindo a participação de ambas em uma conferência realizada no Kansas (Conferência de *Council Grover*). Nesta ocasião lhes era dada a oportunidade de diagnosticar a patologia de vários doentes, apenas com o método da imposição das mãos. Elas não podiam falar com os doentes e não tinham acesso a seus prontuários. Os pacientes estavam acompanhados de seus médicos e havia uma banca examinadora composta de cinco destes profissionais. Depois de estabelecida sua impressão diagnóstica, o resultado era comparado com as anotações dos prontuários médicos. O resultado foi surpreendente, com 100% de acertos de Dora e 80% de acertos de Krieger.

Movimentos específicos e centros energéticos do corpo

Krieger (2000a) parte do pressuposto de que o organismo humano é simétrico. Durante o processo de avaliação, comparam-se os dois lados do corpo, buscando pontos de divergência energética, percebidos por formigamentos, calor, frio, pulsação, choque elétrico ou pressão. O objetivo do toque é fazer com que os dois lados do corpo voltem a ser simétricos após a aplicação do TT.

No decorrer do processo, trabalham-se os pontos doloridos principais, inclusive polarizando energia por meio dos chamados centros dinâmicos, quais sejam: o cóccix, o umbigo e a base do osso occipital (GORDON, 1978).

Círculo de polaridade

É composto de seis pessoas ao redor de uma sétima com a finalidade de canalizar a energia para esta última. Pode ser entoado o som "ooooooooooooommm" para efeito de relaxamento. Cada pessoa se posiciona de forma que a mão direita toque ou fique sobre uma porção do lado esquerdo do corpo de quem recebe, como o ombro, o joelho e outros; já a mão esquerda se posicionará sobre regiões direitas do corpo. É fundamental que todos estejam relaxados. A pessoa a ficar no centro deverá fazer uma série de respirações profundas, cerca de doze vezes. O tempo do procedimento será determinado pela intuição e pela sensação magnética sentida pelas mãos dos aplicadores; enquanto se percebe uma carga energética forte, as mãos deverão permanecer em uma distância aproximada de dois a quinze centímetros do receptor (GORDON, 1978).

Os mais variados motivos têm incentivado as pessoas na busca pelos chamados métodos alternativos de tratamento, o que vem sendo estimulado pela própria Organização Mundial de Saúde. Entre as terapias integrativas e complementares, destacam-se as de intervenção corpo/mente, incluindo aspectos da espiritualidade. A ciência contemporânea que vem se preocupando em estudar a influência destes fenômenos sobre o funcionamento neural, endócrino e imunológico é a psiconeuroimunologia. Esta se ocupa em estudar os peptídeos, hormônios, citocinas e demais neurotransmissores do organismo. No entanto nem toda melhora nas condições de saúde do indivíduo é mensurável, mas nem por isso perde sua importância. Daí a necessidade de estudos que avaliem o ganho na qualidade de vida como um todo e a individualidade dos resultados (KLÜPPEL; SOUSA; FIGUEREDO, 2007).

No momento há uma grande manifestação por parte da sociedade civil, representada pelos conselhos de saúde, nos níveis municipal, estadual e nacional no sentido de reivindicar a oferta das práticas de Medicina alternativa e complementar pelo Sistema Único de Saúde (TESSER; BARROS, 2008).

Por ocasião da confecção do livro "Toque Terapêutico: novos caminhos da cura transpessoal", já havia 27 teses de doutorado aceitas por universidades americanas, além de 18 pesquisas de pós-doutorado aprovadas e outros trabalhos de mestrado sobre o tema naquele país. O TT é praticado e ensinado em diversas instituições de ensino, não apenas nos Estados Unidos, mas em muitos outros países a exemplo do Canadá, Austrália e Irlanda (KRIEGER, 2000b).

Concluindo o capítulo

O emprego de tais práticas constitui-se em uma sucessão de escolhas políticas, por pretender dar um lugar de destaque às formas de cuidar e pensar, outrora abafadas diante da hegemonia racional biomédica, sem, contudo, tirar o mérito da alopatia no tratamento dos casos graves e do uso adequado das grandes descobertas dos últimos tempos. No entanto, no âmbito da Atenção Primária à Saúde, as práticas integrativas em saúde podem auxiliar significativamente na melhora desta realidade. Há também uma posição ética, por se entender a necessidade de um cuidado integral, que contribua na junção dos cacos fragmentados, em que foi dividido o ser humano no decorrer da história médica. Em nossa escolha científica surge a necessidade de compartilhar com os outros as descobertas, frutos do transcendente e de nossa criatividade (BARRETO, 2014).

6

Suporte social e frequência aos cultos: estratégias de promoção à saúde

Introdução

Uma das formas que o ser humano encontrou para sobreviver, no decorrer de seu desenvolvimento histórico, foi formar grupos de convívio social. Os grupos de jovens, da terceira idade, de promoção da saúde e de pessoas que frequentam o mesmo culto religioso são exemplos desse tipo de comportamento. Um dos aspectos mais citados pelos pesquisadores (MOREIRA-ALMEIDA; SROPPA, 2009) do campo da espiritualidade e saúde é sem dúvida alguma o apoio dado ao indivíduo integrado em determinado grupo religioso, resultando em vínculos sociais capazes de fortalecê-lo em situações de estresse. Esse aspecto também tem relevância nos estudos de avaliação de envelhecimento saudável (ROSA; CUPERTINO; NERI, 2009).

Ao dedicar um dia para o culto a Deus, o homem também reserva mais tempo para si mesmo, para o descanso, para a família e para a comunhão com os outros fiéis, o que resulta em menos estresse físico e psicológico. Este passa a ser um dia para reflexões pessoais, para pensar no perdão, reduzindo a raiva e o sentimento de culpa pelas faltas cometidas anteriormente. Também é uma oportunidade para orar, ouvir as leituras e os cânticos proclamados na assembleia, bem como participar de rituais litúrgicos comunitários, tais como o batismo, a confirmação e a eucaristia (LOTUFO NETO, 2003). Os sacramentos vivenciados na fé cristã são ritos de passagem, importantes para o desenvolvimento da personalidade humana (CAMPBELL, 2011). Este capítulo destina-se à ênfase desse aspecto da religiosidade: a integração social e a busca frequente pelos serviços religiosos.

Apoio ou suporte social promovido nas diversas afiliações religiosas

Uma comunidade evoca as dimensões pessoais e sociais de um lugar, onde as crenças e valores são partilhados concreta e diariamente. As relações de trabalho no capitalismo atual tornam-se cada dia mais superficiais. As pessoas sentem-se desprotegidas e não têm, muitas vezes, a satisfação de estar realmente fazendo algo que considerem delas próprias. Surge a necessidade de se estabelecer laços de confiança com outras pessoas, estabelecendo elos mais profundos de convivência, em que uns se sacrificam pelos outros, apesar das diferenças (SENNET, 2012). Daí a importância de se poder contar com a família e com os amigos das comunidades religiosas.

No mundo globalizado onde vivemos tornou-se frequente a mudança de endereço, enfraquecendo os laços de vizinhança e até mesmo entre familiares, muitas vezes morando em localidades muito distantes uns dos outros. Por outro lado, o convívio mais acirrado entre as pessoas no emprego exige mais tolerância com as diferenças de cada um (SENNET, 2012). Atualmente, é grande o número de pessoas que passam mais horas de seu dia com os colegas de trabalho que com seus familiares; o que constitui mais uma fonte de estresse da vida moderna. Necessitamos constantemente do auxílio de indivíduos de nossa família, principalmente em ocasião de doença ou na ajuda para cuidar de crianças pequenas. Os grupos religiosos podem ser uma alternativa, fornecendo apoio e conforto aos que estão afastados de seus núcleos familiares.

Na primeira etapa do estudo desenvolvido com hipertensos em Pedras de Fogo, verifiquei que das 73 pessoas do grupo que se mostraram mais religiosas (GE), apenas nove frequentavam o grupo de idosos; três iam ao grupo de saúde mental e uma integrava certo grupo de denominação não perguntada no questionário. As outras 60 pessoas não participavam de nenhum grupo para promoção da saúde no município. Já o grupo controle (GC), composto por indivíduos que frequentavam pouco as igrejas ou templos, e ainda os que se declararam sem religião, tinha apenas quatro de seus integrantes no grupo de idosos e dois no de saúde mental. O restante (60) também não frequentava nenhuma atividade desse tipo (Pereira, 2013).

Na segunda etapa do estudo citado acima, foi verificado que no GE o número de frequentadores de grupos caiu para apenas cinco, restringindo-se apenas ao grupo de idosos. Os demais (68) não participavam de mais nada. No GC apenas cinco indivíduos participavam do grupo de idosos, restando 61 sem qualquer grupo de saúde. Uma justificativa para esse decréscimo foi a extinção do grupo de saúde mental existente na unidade de saúde onde se desenvolveu a pesquisa, após a saída da pesquisadora do serviço.

Concluí que a melhora clínica dos sintomas nervosos relatados por estes pacientes não teve nenhuma relação com a frequência aos serviços de promoção à saúde, oferecidos pela prefeitura, uma vez que os usuários não estavam buscando esse tipo de apoio, podendo então ser atribuída possivelmente à atividade religiosa, conforme relatos dos próprios integrantes da pesquisa ao responderem, ao final do estudo, se atribuíam alguma melhora ou cura apenas a sua fé:

"Nunca mais deixei de ir à missa e estou me sentindo muito bem; tive uma cura espiritual" (E[7] 28).
"Fiquei curada de uma depressão" (E 16; E 65; E 70; E 127; E 134).
"Melhorei de uma angústia" (E 17).
"Melhorei da depressão" (E 18; E 21; E 36; E 44; E 91; E 105; E 119; E 125; E 131).

Uma das fontes de fé é a comunidade. O ser humano possui a necessidade de se integrar a um grupo com o qual possua vínculos afetivos; de onde possa obter auxílio em suas necessidades básicas de sobrevivência. Isso parece ser ainda um reflexo do instinto de sobrevivência dos mamíferos, andando em bando para proteger seus filhotes. Por meio de um círculo de pessoas com as quais nos relacionamos obtemos confiança, o que é necessário para continuar vivendo em sociedade. A seguran-

---

[7] Entrevistado(a).

ça transmitida por um convívio entre indivíduos que compartilham de ideais comuns estimula o Sistema Nervoso Parassimpático, acalmando as funções orgânicas, poupando reservas energéticas (VAILLANT, 2010).

O apoio social concedido por grupos religiosos ou de cuidado é considerado um fator de promoção da saúde por alguns autores, a exemplo de Moreira-Almeida, Lotufo-Neto e Koenig (2006) e Koenig (2012). Com o envelhecimento ocorre muitas vezes o isolamento social. A frequência a grupos, especialmente às comunidades religiosas, reduz tal isolamento, diminuindo os índices de sintomas depressivos, de ansiedade e de estresse, intimamente ligados às doenças cardiovasculares (SAVIOLI, 2006).

Os grupos sejam eles familiares, religiosos ou de recreação conservam certos valores e crenças a serem compartilhados pela coletividade. O grupo religioso tem servido de referência nas organizações sociais, com obediência aos dogmas religiosos e estes influenciam diretamente sobre escolhas individuais (BERTANI, 2006).

Este tem sido um dos aspectos mais pesquisados pelas ciências sociais e outros segmentos científicos que estudam a saúde e o bem-estar dos indivíduos. Os contatos sociais se apresentam com diferentes faces, podendo haver ajuda material e psicológica. Fala-se em apoio social tangível, quando estão envolvidas medidas financeiras de ajuda ou outro tipo de recurso social, como a visita a asilos por exemplo. Existe ainda o apoio social intangível, representado pelas relações psicológicas ou interpessoais. Vem aumentando o número de relatos que apontam para o efeito benéfico dessa espécie de rede de relacionamentos sobre a saúde das pessoas, auxiliando em sua adaptação às mudanças indesejáveis na vida, tais como em doenças graves e casos de morte de familiares (LEVIN, 2011).

O autor acima afirma que grupos e instituições religiosas de uma maneira geral constituem ambientes propícios à aproximação entre seus frequentadores, bem como ao estabelecimento de um comportamento mais solidário entre eles. São constituídos vínculos de amizade duradoura, auxiliando no enfrentamento de fatores estressantes, tais como desemprego, crises e separações matrimoniais, entre outros. Os problemas passam a ser vistos de uma forma mais amena, tornando-se mais fáceis de suportar. A vida ganha um novo significado, na medida em que o indivíduo se sente mais próximo de Deus, portanto mais amparado.

Loyola Filho e colaboradores (2013) encontraram uma maior satisfação com a própria saúde nos idosos que possuíam uma maior frequência a igrejas, atribuindo este resultado ao maior apoio social de seus grupos religiosos. O fato de pertencer a uma religião tem se mostrado impactante sobre a saúde física do homem (KOENIG, 2011a), aparecendo como fator de prevenção de doenças em pessoas previamente sadias e vem, eventualmente, reduzindo a ocorrência de óbitos na medida em que se relacionam a hábitos de vida mais saudáveis, maior suporte social, menos depressão e estresse (GUIMARÃES; AVEZUM, 2007). Também há correlação entre comportamento religioso e maior durabilidade de relacionamentos matrimoniais, bem como menor risco de adquirir doenças venéreas, na medida em que os ensinamentos religiosos incentivam as relações sexuais exclusivamente dentro do casamento (KOENIG, 2012).

Um estudo com pacientes portadores de transtornos mentais apontou como razão para o menor envolvimento com álcool o fato de pertencer a uma religião, resultando em maior apoio e integração a grupos sociais (SOEIRO et al, 2008). Até mesmo o curso da doença mental grave pode ser influenciado positivamente por intervenções espirituais, especialmente quando estas são aplicadas em grupo, por meio de um melhor direcionamento das preocupações, aumentando assim as habilidades para relacionar-se com outros (KOENIG, 2007d).

O companheirismo religioso amplia a rede de relacionamentos, sendo de grande utilidade para o indivíduo nos momentos de dificuldade que ele possa vir a enfrentar ao longo de sua vida. Pessoas que frequentam com mais regularidade os cultos religiosos contam mais com esse tipo de ajuda, embora comprovadamente necessitem menos deste auxílio. Além do mais, aqueles que possuem relacionamentos de apoio mútuo vivem mais e de forma melhor. O apoio social confere proteção e terapêutica para vários estados mórbidos, tais como a depressão, as doenças cardíacas e o câncer. Tamanha é a importância da frequência regular aos grupos religiosos e igrejas que inspirou a criação de um dos princípios da Medicina Teossomática, em que as congregações religiosas são consideradas benéficas para a saúde por oferecerem apoio às pessoas, amenizando os efeitos do isolamento social e do estresse (LEVIN, 2011).

A atenção, o amor e a confiança que o indivíduo sente ao fazer parte de um grupo ou de uma família podem fazer o diferencial entre a vida e a morte. Este comportamento associativo não é encontrado apenas na espécie humana, mas em quase todas as espécies animais. Formar grupos de indivíduos da mesma espécie constitui-se geralmente em uma boa estratégia de sobrevivência e de perpetuação dos genes. Aliás até na composição de nosso corpo predomina o comportamento associativo dos átomos, das moléculas, das células. Estar doente por sua vez é uma desvantagem no mundo animal, requerendo, ainda mais, estar próximo ao grupo de seus semelhantes (DOSSEY, 2000).

Lima e Stotz (2010) relacionam o envolvimento religioso ao apoio emocional prestado pelas instituições religiosas, resultando em uma melhora nas condições de saúde de seus frequentadores. Um aspecto a ser mencionado aqui é o fato de haver também decepções com os grupos religiosos e até com a própria família, trazendo por vezes o retorno do indivíduo ao isolamento. Mas há que se considerar que todas as associações humanas são regadas a intrigas e competições. A espiritualidade de baixo, já mencionada no capítulo três, ajuda a lidar com este ponto negativo das relações interpessoais, quer seja no campo familiar, quer seja no campo religioso. Afinal nenhum relacionamento real corresponderá às expectativas que se idealiza. A verdadeira comunidade não sobrevive às custas de meras palavras bonitas e gentilezas (GRÜN; DUFNER, 2013). Nesta hora são oportunos o perdão e a humildade para compreender as falhas dos irmãos e seguir em frente.

A frequência aos cultos

Pereira (2013) observou que a maioria dos entrevistados (136) dizia fazer parte de uma determinada religião, mas, quando era questionada sobre sua frequência à igreja ou grupo religioso, boa parte declarava não ir com regularidade. Entre os 139 indivíduos do estudo, 73 deles disseram frequentar igrejas ou outro tipo de grupo religioso no mínimo uma vez por semana, constituindo o grupo de estudo (GE). Dentre os outros 66, três não possuíam afiliação religiosa e 63 responderam que iam a templos religiosos menos de uma vez por semana, passando a fazer parte do grupo controle (GC).

Entre as 73 pessoas que faziam parte do GE, 67 eram do sexo feminino, estando 26 delas na faixa etária de 25 a 59 anos e 41 na faixa de 60 a 75 anos. O componente masculino desse grupo era representado por seis indivíduos, todos na faixa de 60 a 75 anos, não havendo homens com idade inferior a 60 anos, entre os que se declararam mais religiosos. Estes números estão de acordo com a literatura que afirma haver um aumento da religiosidade com o avanço da idade (LEVIN, 2011).

O GC foi composto por 66 pessoas, sendo 54 do sexo feminino e 12 do sexo masculino. Entre as mulheres, 32 tinham idade de 25 a 59 anos, enquanto 22 estavam na faixa etária de 60 a 75 anos. Quanto aos homens, oito estavam na faixa de 60 a 75 anos e quatro com idades variando entre 25 e 59 anos. Entendi que a frequência aos cultos é de suma importância para o vínculo comunitário e foi adotada na pesquisa com hipertensos, como indicativo para que o sujeito fizesse parte ou não do grupo controle. Uma maior religiosidade implica mais compromisso com as diretrizes religiosas. Além do que, a literatura aponta incessantemente para a frequência como fator determinante nos benefícios trazidos para a saúde pela religião (PEREIRA, 2013).

Alguns trabalhos que valorizam os depoimentos de seus entrevistados conseguem captar a importância que o hábito de ir a uma igreja ou templo ocupa em suas vidas, servindo de estímulo para estreitar os laços entre a Ciência e a Religião. Afinal o funcionamento orgânico depende também da subjetividade e da individualidade. Nenhuma explicação científica abrange a complexidade da natureza, tanto no aspecto macro (universo), como no aspecto micro ou celular (PEREIRA; KLÜPPEL, 2014a).

Um estudo desenvolvido por Duarte e Wanderley (2011) com idosos hospitalizados encontrou uma frequência de uma ou mais vezes por semana em apenas 20% dos pesquisados; 13% deles disseram ir a templos duas a três vezes por mês; 20% responderam que vão algumas vezes por ano; outros 30% afirmaram ter uma frequência ainda mais baixa: uma vez por ano ou menos e 17% relataram nunca frequentar. Neste item, considerou-se "nunca" pacientes que não frequentam qualquer encontro religioso pelo menos há mais de dois anos. Uma provável justificativa para isto é que, com o avançar da idade, o idoso se depara com limitações físicas, decorrentes de doenças crônicas, de sequelas de acidente vascular encefálico, ou da própria idade, entre outros fatores. Soma-se a isso o medo de quedas ou de sair sem companhia, bem como de passar por qualquer tipo de apuro ou violência.

São vários os estudos que ressaltam os benefícios da frequência de comparecimento às igrejas, como um realizado na Escócia, que encontrou menor taxa de sintomas físicos e mentais em indivíduos com afiliação religiosa (católicos, protestantes ou não cristãos) em comparação a outros que não participavam efetivamente dos cultos; outro estudo da Universidade de Michigan encontrou efeito protetor para doenças cardíacas em pessoas que iam com maior frequência às igrejas. Também é mencionado o estudo da *Johns Hopkins University* com mais de 90 mil pessoas, no qual se verificou uma taxa triplicada de morte naqueles indivíduos com câncer de reto e cólon, doença arteriosclerótica, enfisema, cirrose hepática e por suicídio nos que compareciam menos de uma vez por mês a grupos religiosos (LEVIN, 2011). O referido autor menciona ainda maiores ganhos para o organismo dos que vão a grupos religiosos no mínimo uma vez por semana em relação aos que vão no mínimo uma vez ao mês. Ele relata inclusive que muitos pesquisadores encontraram maior bem-estar entre os doentes que possuem fortes crenças religiosas, a exemplo do grupo do *Vermont Regional Cancer Center e da University Vermont,* que estudaram 71 pacientes com câncer avançado.

Uma pesquisa longitudinal realizada em Bambuí, Minas Gerais, tendo como foco a investigação sobre o envelhecimento em idosos com 60 anos ou mais, portadores de hipertensão e/ou diabetes, no referido município, encontrou uma associação entre autoavaliação negativa das condições de saúde destes sujeitos e uma menor frequência a igrejas (LOYOLA FILHO et al., 2013).

Hummer e colaboradores (1999) realizaram ampla pesquisa a respeito do efeito da participação religiosa sobre a mortalidade em adultos, concluindo ser bem maior o risco de morte entre os que não frequentavam serviços religiosos, quando comparados aos indivíduos mais assíduos nesta prática. A diferença na sobrevida após os 20 anos de idade chegou a ser de sete anos, entre os dois grupos, favorecendo as pessoas que frequentavam serviços religiosos mais de uma vez por semana. A amostra foi composta por 21.204 adultos nos Estados Unidos.

Outro exemplo importante da frequência aos templos religiosos foi um estudo longitudinal que acompanhou 6.928 pessoas por um período de 28 anos, no Condado de Alameda, Califórnia. Este também encontrou menores taxas de mortalidade entre os frequentadores assíduos dos serviços religiosos, em comparação com os frequentadores esporádicos, além de uma maior probabilidade de deixar de fumar e abusar do álcool, bem como de aumentar a prática de exercícios físicos nestes entrevistados (STRAWBRIDGE et al., 1997). Por todos estes achados em uma amostra tão ampla de sujeitos, acompanhados por um período tão longo, este é considerado um dos mais importantes estudos epidemiológicos de longevidade relacionada à religiosidade já realizados.

Um estudo com 675 pacientes portadores de algum tipo de câncer, desenvolvido no Hospital das Clínicas da Universidade Estadual de Campinas, encontrou uma associação entre um maior índice de depressão e aqueles que se declararam menos assíduos em cultos religiosos (FANGER et al., 2010). Maior religiosidade pessoal, associada à maior frequência a cultos, parece exercer, no contexto sociocultural brasileiro, um efeito inibidor sobre o abuso ou a dependência de álcool, sobretudo no âmbito das igrejas protestantes que consideram o uso de bebida alcoólica uma conduta reprovável (SOEIRO, 2008).

É de se esperar que a religiosidade aumente com a idade, sobretudo por meio das atividades religiosas exercidas na individualidade, como a oração pessoal, o estudo bíblico e a meditação; porém também aumentariam as taxas de mortalidade e de incapacidade física entre os idosos. No entanto foi encontrada menor mortalidade entre aqueles que possuíam maior espiritualidade individual em uma amostra de 3.851 pessoas idosas (HELM, 2000).

Concluindo o capítulo

A frequência religiosa, traduzida como ida a templos religiosos ou a grupos de natureza semelhante, pode influenciar positivamente a saúde das pessoas, pelas razões dispostas anteriormente. À medida que se frequenta mais a igreja, o fiel tem mais oportunidade de assimilar os ensinamentos de sua religião, aumentando as chances de cumprir com suas premissas que, de uma forma geral, contêm prescrição de moderação no comportamento. Além do que, ele terá novas oportunidades de formar vínculos com outros indivíduos, os quais poderão ser de grande valia nas situações de dificuldade que estão reservadas a todo ser humano, como doença e morte.

7

A prece ou oração

Introdução

Uma das formas que o ser humano utiliza para expressar sua religiosidade é a oração ou prece. Este vocábulo, segundo Tosta (2004), deriva do latim *prex*. A prece pode ser de dois tipos principais: a intercessora, para benefício de outrem, e a petição, para benefício próprio. Esse autor realizou uma revisão com quinze trabalhos nos quais pesquisaram o efeito da prece de intercessão sobre diversos tipos de pacientes, com períodos de tempo que variaram de uma semana a um ano. Ele fez críticas a alguns trabalhos com poucos pacientes ou com fragilidade metodológica, mas ao final chamou atenção para o fato de que nem tudo o que usamos na prática nos dias atuais foi comprovado pelos métodos científicos tradicionais; além do que, as "verdades" da Ciência não são imutáveis. Mesmo assim em oito (53%) destas pesquisas houve a detecção de algum efeito sobre as pessoas recebedoras da prece. Outros seis trabalhos (40%) apresentaram resultados inconclusivos e em um deles (7%) não houve qualquer efeito sobre os pacientes.

Vale salientar que desses 15 trabalhos apenas nove tiveram consistência metodológica, dentre os quais oito demonstraram algum efeito da prece sobre o estado de saúde dos voluntários, correspondendo a 89% dos estudos. O autor concluiu afirmando que, apesar das dificuldades em mensurar os efeitos da prece e de outras práticas como o Reiki e o Toque Terapêutico (TT), o valor desta comunicação silenciosa com o poder divino não será diminuído, sendo necessário o aperfeiçoamento de novos estudos para o futuro.

A oração, prece ou reza pode ser executada de diversas formas conforme a cultura ou Religião. Por exemplo: os católicos celebram missas, enquanto os negros africanos invocam seus antepassados em cerimônias públicas. No primeiro caso a oração obedece a um padrão, sendo feita por um representante da assembleia, enquanto no segundo é espontânea e feita por qualquer participante. Outros povos recorrem a rituais diários a exemplo dos judeus e dos índios. Os primeiros lançam mão de utensílios, preces escritas em livros, vestimentas certas; os últimos seguem outros padrões ritualísticos. Os muçulmanos e os budistas teravadas exercitam também sua religiosidade por meio da linguagem corporal. Ambos prostram-se no chão em orações. Mas enquanto os primeiros fazem pedidos a Alá os outros apenas veneram a Buda sem nada pedir. Os católicos rezam o rosário, por veneração a Maria. Os hindus recitam mantras incansavelmente, por acreditarem na encarnação da divindade, nas sílabas do próprio nome. Ambos são exemplos de como a repetição de preces pode atuar sobre a mente e alimentar a alma do fiel. Por fim, os cristãos russos rezam em voz alta fazendo súplicas ao Cristo, em conformidade com os movimentos respiratórios. Posteriormente, eles rezam em silêncio esvaziando-se dos pensamentos, atingindo um êxtase espiritual. Esta sensação também é alcançada pelos budistas japoneses ao vocalizarem *"Namu Amida Butsu"* diversas vezes (GRESCHAT, 2005).

O presente capítulo fará menção a esta tão sublime vantagem que o ser humano possui em relação aos outros animais: a capacidade de comunicar-se com a divindade superior, que assume nomes e características peculiares, conforme a cultura. Mas que, independentemente de credo religioso, nos torna irmãos, filhos do mesmo Pai.

Tipos de oração

A oração é um dos principais meios de estabelecer um diálogo com a divindade (MONDONI, 2002). Para Greschat (2005), a oração estabelece um contato entre o homem e o mundo invisível. Seria uma comunicação, em que o rezador se expressa, recebendo em troca algo semelhante a uma força, a uma energia; algo que o anima. No mundo ocidental, a mais difundida ainda é a oração cristã que pode ser de quatro tipos principais: bíblica, contemplativa, meditativa e vocal.

No primeiro tipo, temos os salmos, amplamente utilizados nos meios judeu e cristão, além da oração do Pai-Nosso, que contém desde preocupações com o uso do santo nome de Deus até as súplicas pelas necessidades de sobrevivência humana. No tipo contemplativo, ocorre uma maior afetividade e percepção da presença de Deus.

No estilo meditativo, predomina o uso das faculdades mentais, enquanto no vocal ocorre o compartilhamento com Deus de nossas necessidades ou preocupações, por meio de orações formais ou não formais, repetitivas ou não (Mondoni, 2002). Um dos tipos mais conhecidos de oração vocal e repetitiva é a reza do terço, que será abordada mais adiante.

A oração cristã tem por finalidade encontrar Deus no íntimo de nosso ser. O ideal é que a prece se inspire na própria Palavra, mas não existe uma oração melhor ou pior, pela maneira como é executada. Seu efeito pode ser verificado na forma como passa a viver o sujeito que a fez. Se ela é eficaz, produzirá nele efeitos benéficos sobre sua forma de ver as coisas, de agir, de sentir, de compadecer-se dos outros. No entanto, faz-se necessário tanto um ambiente adequado quanto uma atitude interior, buscando a calma, a tranquilidade, a serenidade. Ao orar, o indivíduo deve recolher-se, conscientizando-se de que está entrando na presença do Senhor, procurando purificar seus pensamentos e seu coração. Para que ocorra uma maior interiorização, pode-se fazer uso do recurso da imagem, atingindo a verdadeira contemplação. Por fim, formula-se a súplica, a prece, com humildade e fé. Deve-se manter focado no tema da oração que se quer dirigir a Deus e, ao final dela, realizar um colóquio com Ele, sob a inspiração do Espírito Santo (Mondoni, 2002).

Preparação para a oração

É importante haver um preparo, um prelúdio para a oração. Há quem faça jejum, lave-se, troque de roupa antes da prece. Alguns gesticulam, posicionam as mãos para o alto ou com as palmas para frente. Existem ainda os utensílios usados pelas pessoas de várias religiões ou povos, tais como os ícones da Igreja Ortodoxa, os cachimbos dos índios, os terços dos cristãos católicos. Também as formas de rezar são diferentes conforme a religião do indivíduo. Alguns recitam preces padronizadas, outros de improviso; alguns as leem, outros só as executam em horários determinados. A oração pode ser uma simples palavra ou diversas frases. Pode ser silenciosa, composta pelas preocupações do sujeito ou por textos lidos mentalmente. Pode ainda ser ritmada pela respiração. A iniciação na vida de oração pode ser comparada à escolha de um caminho a ser trilhado, onde o fiel decide tomar atitudes apropriadas isoladamente e depois assume os costumes de sua comunidade. Posteriormente, ele volta-se para seu mundo interior, às vezes sem pronunciar nenhuma palavra, limpando a mente de qualquer pensamento (GRESCHAT, 2005).

Quando oram, os hinduístas têm as mãos postas à altura do peito; se possível, recitam mantras à margem do rio, lago ou de uma fonte. Em seguida, banham-se a si mesmos e aos quatro pontos cardinais, purificando-se de suas culpas, sintonizando-se com o divino. Quando o hinduísta sai de casa pela manhã, primeiramente saúda o sol com o *Gayatri*-mantra, pois para eles o sol é símbolo do espírito e da vida. Seu dia começa festivamente com um hino à criação e ao Criador. Água e luz, símbolos primeiros do Hinduísmo e de todas as religiões, são utilizados nos rituais. À tarde, também é tempo de oração e, ao anoitecer, o hinduísta ora aos deuses no seio de sua família. Nas castas superiores, o dia termina com o conto dos velhos mitos e lendas. A religiosidade hinduísta é vivida principalmente no seio da família, que é monogâmica, não divorcista: é um templo doméstico com as estatuetas das deidades, às quais a família se sente mais ligada. Muitos hindus têm uma profunda veneração por Jesus com seu ensinamento do amor e da não violência (LIBÓRIO, 2010).

Pesquisa envolvendo pacientes hipertensos

Após a estimulação religiosa feita por mim, nos 139 pacientes portadores de hipertensão no município de Pedras de Fogo-PB, de dezembro de 2011 a dezembro de 2012, o percentual dos que oravam aumentou no grupo de estudo (79,5% para 86%). O grupo que se declarava menos religioso reduziu ainda mais a prática da oração pessoal (41% para 36%).

Ao analisar a influência da oração individual sobre a sintomatologia apresentada (PEREIRA, 2013), encontrei uma redução significativa em algumas queixas específicas inicialmente referidas pelos participantes do estudo tais como: dor no peito ($r = -0{,}259$; $p < 0{,}01$), medo da morte ($r = -0{,}189$; $p < 0{,}05$) e mãos frias quando nervoso ($r = -0{,}195$; $p < 0{,}05$). Alguns dos pacientes desta pesquisa revelaram o alívio de seus problemas ou dores físicas por intermédio de suas orações, conforme os relatos abaixo:

> "Sem Deus eu não estaria de pé. Perdi um filho com dez anos de idade, o meu mais velho, comido pelos cachorros, lá no Engenho... Ainda choro, mas se não fosse Deus eu não suportaria..." (E 3)
> "Para mim isto aqui é o paraíso" (referia-se às reuniões para meditar, ouvir músicas religiosas e ler a Palavra). Disse-lhe então que seu aspecto melhorara muito. Perguntei-lhe o motivo de estar menos agitada, menos ofegante, e estar até mais sorridente. Ela então me respondeu: "Estou rezando mais" (E 44).

Esse último depoimento também faz parte do artigo: "Cura pela fé: Um diálogo entre ciência e religião" publicado pela Revista Caminhos (Pereira; Klüppel, 2014a).

A importância da oração para a saúde de acordo com a literatura

Muitos pesquisadores afirmam que a oração constitui uma importante ferramenta no tratamento da dor crônica (Peres et al., 2007; Vale, 2006), da ansiedade e depressão (Vale, 2006). O fato é que as pessoas que rezam são mais satisfeitas com a vida e vivem mais do que as que não oram.

Em revisão feita por Levin (2011), verificaram-se diversos estudos com resultados positivos quanto ao hábito de orar. Em um destes trabalhos desenvolvidos pelo Dr. *Marc A. Musick* com mais de quatro mil pessoas na Carolina do Norte, foi encontrado um alto índice de indivíduos que avaliavam sua própria saúde como boa, naqueles que praticavam a oração, a meditação ou a leitura de textos bíblicos. Vale ressaltar que este é um indicador dos mais importantes para a avaliação das condições gerais de saúde do indivíduo, bem como de sua saúde mental e longevidade. O entrevistado responde à pergunta: "Em geral, você avaliaria sua saúde como excelente, boa, regular ou ruim?". Desta forma se obtém o nível de saúde subjetiva do indivíduo.

A literatura demonstra que a ideia que o paciente tem sobre sua saúde representa a significação que ele atribui a suas condições físicas e, como tal, pode influenciar em sua longevidade (DOSSEY, 2012). Assim, quando o indivíduo julga sua própria saúde como insatisfatória, poderá estar decretando que é desta forma que ela se externará por meio de sintomas de determinada doença.

O ambiente que envolve os praticantes da oração, sobretudo em grupo, é um ambiente amoroso; isto favorece a cura das enfermidades (GOSWAMI, 2006). A oração é, segundo Lotufo Neto (2003), uma das modalidades mais antigas de recurso terapêutico, utilizada pela humanidade. Ela é um verdadeiro remédio para muitas doenças (MENDES, 2009). É importante orar pelos doentes, relembrando o costume que tinha Jesus de impor as mãos sobre eles, para que fossem curados de suas enfermidades. Tal hábito faz brotar no homem a cura para os males de seu coração, à medida que ele vai se conscientizando de suas fragilidades (MENDES, 2010). Um bom exemplo desse emprego da oração com os doentes é a unção dos enfermos, em que um sacerdote unge a pessoa com óleo, orando sobre ela. O doente pode sentir-se mais forte, física e espiritualmente; daí poderá haver uma melhora no quadro ou a preparação necessária para a morte, quando esta é inevitável (AQUINO, 2013).

Oração para obter saúde de mente, corpo e espírito

Sinto-me conectada(o) a Deus criador e que, aos poucos, minha respiração torna-se calma e tranquila. Meu coração bate lentamente, levando o oxigênio necessário a todas as minhas células. Obrigada, Senhor, por este momento, pela minha vida, pela minha saúde, que está sendo restabelecida aos poucos. Todo o meu corpo sente uma imensa paz que o envolve, afastando toda a ansiedade. O calor de minhas mãos reflete a comunhão com este Deus criador (Alá, Universo, Trindade Santa, Javé), mostrando-me que também sou espírito; não sou uma mera carcaça.

Possuo uma energia vital, dom divino, que move todo o meu ser e que, neste momento, está entrando em equilíbrio, restabelecendo o funcionamento celular de todo o meu organismo, removendo toxinas, fazendo ligações moleculares que favoreçam a minha digestão, o funcionamento de meus rins, meu fígado, pâncreas e intestinos. Respiro lentamente e o oxigênio chega de forma satisfatória a meus alvéolos, a meu coração e a cada neurônio de meu cérebro, melhorando minha memória e meu sono. Elimino toda emoção negativa, na forma de medo, ódio, rancor ou tristeza, por meio de minhas excretas, de forma que, em meu corpo, só restarão células saudáveis, em pleno funcionamento, da maneira como Deus as criou, para ser uma criatura feliz e realizada. Amém!

A intercessão

A prática mais referida entre os pacientes hipertensos da pesquisa desenvolvida durante meu mestrado foi a prece de intercessão, correspondendo a 84% dos entrevistados do GE e 83% do GC, na primeira etapa. Ao final da pesquisa, o percentual dos intercessores aumentou no GE para 94,5% e caiu no GC para 82%. Houve um aumento dessa prática entre os integrantes do GE; por sua vez, a queda no percentual de intercessores no GC foi pequena, permanecendo o hábito de rezar pelos outros como o mais referido nos dois grupos. Os pacientes em questão não recebiam a prece, eles eram os próprios intercessores.

É interessante o fato de que muitos desses indivíduos não oravam com frequência, não iam às igrejas; alguns até declararam que não tinham religião, mas pediam "coisas" a Deus pelos outros (filhos, cônjuges, parentes e amigos). Não encontrei neste estudo relação direta entre interceder pelos outros e a obtenção de melhoria nas condições de saúde, mas sugiro que este aspecto da religiosidade seja mais bem explorado, pois não deixa de ser uma atitude altruísta; e esta tem sido apontada como benéfica para o corpo (GUIMARÃES; AVEZUM, 2007; LOTUFO NETO, 2003; SAVIOLI, 2007; ARNOLD et al., 2002), como será abordado em outro capítulo. O intercessor é aquele que se interpõe entre Deus e o foco da oração, tentando atuar como seu advogado, obtendo-lhe a graça (ABIB, 2010b). Para Dossey (2012), a prece é a comunicação com o Pai, sendo esta de um tipo em que o sujeito orante pede por alguém que geralmente está a distância. Abib (2010a) chama atenção para o fato de que a cura é obtida independentemente de quem intercede, pois quem a executa é o Senhor, mas, segundo ele, o intercessor é um meio utilizado por Deus, para que o milagre aconteça a nossos olhos.

Há diversas maneiras de se estudar a prece: alguns cientistas estudam a *Proximal Intercessory Prayer* (PIP), na qual os doentes e os agentes de cura conhecem um ao outro. Outro grupo insiste em análises do tipo duplo-cego, em que ambos não se conhecem e o recebedor da prece sequer toma conhecimento da intervenção.

Um estudo realizado em Moçambique, com cinco mulheres e 19 homens com deficiência auditiva e/ou visual, detectou melhora significativa nesses indivíduos após submetê-los à PIP, comparando com os efeitos obtidos pela sugestão e pela hipnose (BROWN et al., 2010).

Guimarães e Avezum (2007) citam estudos feitos com portadores do Vírus da Imunodeficiência Humana (HIV), demonstrando o impacto positivo da prática religiosa sobre a redução da carga viral, sintomas de depressão e aumento nos valores de linfócitos T auxiliar (CD4).

Um importante estudo desenvolvido no *California Pacific Medical Center* e publicado no *Western Journal of Medicine* avaliou os efeitos da prece a distância sobre 40 indivíduos portadores de Síndrome da Imunodeficiência Adquirida (AIDS) em estado avançado, em que os pacientes selecionados recebiam as preces por uma hora durante seis dias da semana, com duração total de dez semanas. A assistência médica permaneceu inalterada, tanto para o grupo controle como para os demais. Os 40 agentes de cura, espalhados pelo território da América do Norte, pertenciam às mais diversas afiliações religiosas e recebiam apenas a foto do paciente pelo qual rezariam. Toda semana se fazia um rodízio, trocando os pacientes e os respectivos agentes. Os indivíduos que receberam as preces adquiriam menos doenças oportunistas, requisitavam menos consultas, menos internações e se apresentavam com melhor ânimo que os do grupo controle. Também foi encontrada menor permanência hospitalar entre os que se internavam durante o estudo (LEVIN, 2011).

Tosta (2004) fala sobre a importância da prece e do toque na cura de doentes, desde os tempos bíblicos até os dias atuais, em que são elaborados novos conceitos que tentam explicar, por meio da Física, os fenômenos religiosos que culminam com a melhora ou desaparecimento de patologias. O melhor talvez seja considerar o que disse Levin (2011), após um exaustivo levantamento sobre os estudos que enfocam o efeito de diversos tipos de recursos religiosos, dentre as mais diversas crenças, aplicados em indivíduos, com também variadas enfermidades: os fenômenos de cura por meio da fé são reais, mas pouco se sabe sobre como eles ocorrem. Os estudos feitos até o momento servem para iluminar o caminho dos que estão por vir.

Quando se considera a prece presencial, ou seja, aquela em que agente de cura e recebedor estão próximos, é mais fácil explicar o fenômeno do ponto de vista da física newtoniana, que considera o tempo e o espaço lineares; portanto, poderia haver a transmissão da energia de um para o outro. Mas e o que dizer da prece não presencial? Brota aí a perspectiva da explicação por intermédio do universo, cujas características são "não locais", inclusive a mente humana; o que é ilustrado também em Dossey (2007). Tanto Levin (2011) quanto Dossey (2007) e Goswami (2006) discorrem sobre a teoria da não localidade, em que na verdade tudo o que há no universo estaria conectado (BALESTIERI, 2008).

Portanto a cura a distância poderia ser explicada sob esta visão, não estando mais à margem da Ciência. Mas afinal, como explana Levin (2011), de uma forma ou de outra, o que temos mesmo é a mão do Criador por trás de tudo o que ocorre no universo.

Um estudo conduzido por pesquisadores na Califórnia examinou os efeitos da prece a distância sobre a pressão arterial sistólica de 96 indivíduos, utilizando o método duplo-cego, com a participação de dois grupos de agentes de cura. Um deles era constituído por membros da chamada Ciência Religiosa e o outro era formado por paranormais holandeses. Após seis meses de observação, concluiu-se que o grupo controle apresentou uma redução de oito mmHg nos níveis de pressão arterial (PA) sistólica em contraste com o grupo dos que receberam a oração, que obtiveram uma redução de 13,8 mmHg (LEVIN, 2011).

Esse mesmo autor menciona um estudo em *Utrecht*, Holanda, com 115 pacientes escolhidos de maneira aleatória e distribuídos em três grupos: um controle, outro que recebera a prece a distância e um terceiro que recebia a imposição de mãos sobre ele. Os responsáveis pelo tratamento foram designados por organizações de cura paranormais holandesas. Foram realizadas sessões semanais de 20 minutos durante 15 semanas. No grupo controle, houve uma redução de 14,2 mmHg na pressão sistólica e de 6,7 mmHg na diastólica. O grupo que recebeu a prece a distância teve a PA sistólica reduzida em 17,5 mmHg e a diastólica em 8,6 mmHg. E o terceiro grupo que recebeu a imposição de mãos obteve os melhores resultados: 19,3 mmHg na PA sistólica e 9,4 mmHg na diastólica. Os resultados mantiveram-se independentemente dos pacientes estarem tomando ou não medicação anti-hipertensiva. Além disso, os pacientes recebedores da imposição de mãos demonstraram bem-estar geral superior aos do outro grupo, após o término do tratamento.

O terço ou rosário

A prática de rezar o terço remonta o ano de 1200, não devendo ser vista como mera repetição de palavras sem importância. Na verdade a eficácia de tal prática religiosa não tem por base o homem, mas o próprio Deus. Ele é quem torna o rosário eficaz em diversos aspectos, tais como a obtenção de paz e de saúde (ABIB, 2001).

No estudo com hipertensos realizado em Pedras de Fogo-PB, pude verificar entre os adeptos da reza do terço a redução na queixa de tonturas ($r = -0,217$; $p < 0,05$). Esta atividade religiosa foi mencionada por 41% dos pacientes católicos do GE e por 47% do GC na primeira etapa. Ao final do estudo, estes percentuais se inverteram. O GE atingiu 47% de praticantes, enquanto que o GC caiu para 41%. Antes da intervenção religiosa realizada por mim, essa prática era mais mencionada entre os menos religiosos, passando então a ser mais referida pelos indivíduos do GE.

A reza do terço pode ser usada para obter um maior relaxamento (MUNIZ et al., 2005; SAVIOLI, 2012), uma vez que reduz a frequência respiratória, em seis ciclos por minuto; o que é benéfico para o sistema cardiovascular, por diminuir os efeitos deletérios sobre o miocárdio, tranquilizando o indivíduo, proporcionando-lhe uma sensação de bem-estar. Tais benefícios foram relatados por Bernardi et al. (2001), em seu estudo com sete mulheres e 16 homens, todos saudáveis, com idade média de 34 anos. Muniz et al. (2005) cita em seu estudo a importância dessa prática, como indutor do repouso, por meio da repetição mental de um som e da percepção de um objeto. Newberg e Waldman (2009) relatam que o simples ritual de pegar nas contas do terço produz sensação de relaxamento, reduzindo o estresse, a tensão e a ansiedade.

O terço ou rosário é considerado como fonte de fortaleza para os católicos que o rezam, podendo ser utilizado até mesmo durante a execução de tarefas no dia a dia ou nos trajetos que temos de percorrer, indo de um lugar para outro (ABIB, 2001). Portanto é uma atividade religiosa que, ao contrário do que alguns pensam, não requer muito tempo disponível; pelo contrário, o tempo de espera no trânsito pode ser mais bem aproveitado, utilizando essa ferramenta de relaxamento.

Deus ouve nossas preces

Um sentimento muito comum em nossas vidas é o medo, sensação que nos sobressalta sempre quando nos deparamos com uma doença grave em nós mesmos ou em alguém que amamos. Então inexoravelmente nos vem a pergunta: vou morrer? Vivemos nossos dias como se fôssemos criaturas infinitas. Mas de repente um médico nos diz que estamos com uma doença grave; vem a nossa mente os projetos que deixamos de realizar, as pessoas que não tratamos tão bem como deveríamos, a revolta por não querer aceitar esta situação. Dizem que nessa hora até os ateus recorrem a Deus, tentando fazer com Ele alguma espécie de barganha. Abre-se um leque de questões em nossas cabeças, sobre as quais me debruçarei a seguir.

A todo instante estamos nos perguntando se há vida depois da morte, se Deus realmente se importa conosco. Será que Ele nos ouve? Muita gente afirma que sim. Há quem diga que já se curou de uma doença, que conseguiu um emprego, que saiu do mundo das drogas. Enfim, são muitos os que acreditam ter obtido uma graça por meio de sua fé. Outros acham que tiveram pura sorte, que foi uma coincidência, que foi apenas o resultado do tratamento que deu certo. A própria Igreja Católica tem sido cuidadosa em declarar uma cura como milagrosa. Mas ao que me parece há uma diferença de óptica quanto ao que seja um milagre.

O milagre pode estar diante de mim, sem que eu o enxergue. De um ponto de vista mais simplório, o fato de estarmos vivos agora é um milagre. O modo como tudo no mundo foi feito é um milagre. Mas nós insistimos em teorias explicativas da origem do universo e simplesmente esquecemos como é perfeita e linda a natureza. E então a cada dia nós a estamos destruindo, sempre na ilusão de que concertaremos tudo no final.

O Gênesis fala como o homem foi expulso do paraíso por desejar ser igual a Deus. O que parece ter sido um conto para nos explicar a origem do pecado pode estar se tornando realidade neste milênio. Afinal, o homem até já consegue clonar animais, recriar células, eliminar doenças manipulando os genes. Então por que acreditar em Deus se somos capazes de tantas coisas? Inventamos a bomba atômica, fomos à lua. Não precisamos de Deus. Isto é coisa de quem é subdesenvolvido, do tempo em que se vivia nas cavernas, na idade média, quando ainda não podíamos cruzar oceanos, quando ainda não éramos globalizados, pensam alguns. Houve quem dissesse que a religião iria desaparecer. Mas então não já era tempo disto ter acontecido?

O homem, no auge de suas descobertas, tem sofrido os efeitos da ausência de Deus em sua vida. Não que Ele tenha tirado férias ou nos deixado à própria sorte. Ele não se cansa de sua criação imperfeita, inacabada, carente, sedenta. O ser humano passou a sofrer da famosa depressão, de uma tristeza infinita, inexplicável. Dela ninguém escapa. Nem os ricos, nem os famosos, nem os religiosos. Alguns até já afirmaram que a depressão é a ausência de Deus. Será? Mas como se Ele está em todos os lugares? Nos abismos ou no mais alto do céu, entre bons e maus.

Talvez para os mais simples, os mais inocentes, Ele se revele bem mais. Quando deixamos de lado nossa soberba, nossa "superioridade", passamos a ver com mais clareza que Deus está em toda parte e, embora não aja como um mágico a todo instante, Ele realiza coisas boas todos os dias em nossas vidas.

Durante meu mestrado em Ciências das Religiões, tive a oportunidade de ouvir muitos relatos que confirmavam estas minhas colocações. Até mesmo pessoas que não se diziam praticantes de uma religião acreditavam ter se curado de alguma doença pelas suas orações. Os depoimentos a seguir, que fazem parte de minha dissertação (PEREIRA, 2013), cujo tema foi o efeito da religiosidade sobre a hipertensão, são exemplos disso. Alguns deles também integram o artigo: "Cura pela fé: um diálogo entre ciência e religião", publicado pela Revista Caminhos (Pereira; Klüppel, 2014a).

> "... Eu tenho muita fé...Um servo do Senhor, sem me conhecer, lá em Abreu e Lima me disse que eu estaria com uma enfermidade incurável e que Deus iria me curar para que eu andasse e dissesse a todo mundo...". E ainda a mesma paciente, por ocasião do diagnóstico de um câncer em seu intestino: "Quando o médico viu minha colonoscopia, ele disse: a senhora não pode esperar nem um mês para ser operada. Tem de fazer estes exames e voltar em 15 dias. A senhora tem um braço forte? Eu respondi: o braço forte que eu tenho é Deus; ele vai providenciar tudo. Ele então disse: lá em sua terra, não tem nenhum político que possa lhe ajudar? Eu respondi que não conhecia ninguém que pudesse me ajudar... Falei então com uma pessoa que agilizou os exames. Em 15 dias eu estava com tudo pronto" (E 2).

Para os descrentes este seria mais um acaso que deu certo; pura sorte. Mas, para as pessoas que têm fé, foi um milagre, tendo em vista a gravidade da doença, as condições financeiras da paciente, seu estado no pós-operatório, bastante desanimador, e as atuais condições da saúde pública no Brasil. Muitas vezes nem os planos de saúde resolvem tudo com a rapidez que o câncer exige ao se manifestar.

Acompanhei esta paciente em seu pós-operatório, prestando-lhe atendimento domiciliar. Não tinha boas expectativas quanto a seu prognóstico. Seu abdome estava tão distendido que parecia ter ainda um grande tumor em seu interior. Seu intestino não funcionava muito bem e eu fiquei apreensiva quanto a sua recuperação. Mas para minha surpresa ela se recuperou, e todas as suas funções corporais se normalizaram. Ela então passou a se consultar no ambulatório e seus exames de revisão não davam mostras de recidiva do câncer.

Outros exemplos de pacientes que acreditam ter se curado graças a um milagre:

> "Eu tinha sangramento no nariz. Depois que minha mãe fez uma promessa pra São Severino fiquei curada. Nunca mais meu nariz sangrou" (E 4).

"... Pelo que eu já sofri se não fosse Deus... Até do remédio controlado me livrei."

A mesma paciente em outro relato: "Tinha um problema nos pés; dor nas pernas. Fiz as 31 caminhadas no mês de Maio, à noite, e fiquei curada da dor" (E 6).

"Fiquei curada da vesícula sem fazer cirurgia, só pela oração, e de doença nos rins. Jesus me livrou de tudo o que eu sentia antes" (E 7).

"Deixei de fumar pela fé. Acredito que minha pressão melhorou pela minha fé" (E 8).

"Me curei de uma forte dor de cabeça" (E 10). "Me curei de um câncer de boca" (E 11).

"Fiquei curada de um problema no couro cabeludo" (E 12).

"Eu tinha fortes dores nas costas. Graças a Deus fiquei curada" (E 13).

"Tive uma infecção grave após uma cirurgia de vesícula. Usei drenos... Mas Deus é maior. Com a graça de Deus hoje estou aqui" (E 20).

"Minha pressão não controlava. Tomando os mesmos medicamentos de antes ela controlou, depois que eu pedi à Mãe Rainha e fiz uma promessa. A pressão nunca mais subiu" (E 22).

"Fiquei curada de um ferimento na perna" (E 24).

Certa vez, em uma das entrevistas da pesquisa, um senhor me disse:

"Quero lhe agradecer hoje porque a senhora me curou. A senhora fez por mim uma cura espiritual. A senhora lembra que eu falei que deixei de ir à igreja porque o padre falava de política? A senhora me disse: Deixe isso para lá... Volte a ir para sua igreja. Vai lhe fazer bem. E eu fiquei com aquilo na cabeça. Fiquei com vontade de ir. Até que chegou o Domingo e eu fui à missa. Doutora, foi como se um peso saísse de mim. Me senti tão leve! Nunca mais deixei de ir pra missa e estou me sentindo muito bem. Muito obrigado! Foi muito importante aquela entrevista" (E 28).

Achei comovente e surpreendente seu testemunho. Geralmente, os homens não são muito participativos quando se trata de falar de seus sentimentos. Nos consultórios médicos falam menos que as mulheres, principalmente se o assunto é "eles mesmos". Ele se tornou um dos pacientes mais colaborativos com minha pesquisa. Dizia que causava admiração em seus amigos o fato de uma médica tê-lo convencido a voltar à igreja.

Outros relatos:

> "Tinha um rim com um cisto, ia operar, mas Deus me curou e não operei... Eu não escutava pelo ouvido direito. Também ia operar, mas Deus me curou. Eu sou uma mulher de fé, mas é graças a Deus que eu estou de pé" (E 37).
>
> "Fiquei curada de um nódulo na garganta" (E 48).

Novamente eu presumo que um ateu convicto diria: – Besteira! Quem resolveu o problema foi o cirurgião. Esses fanáticos atribuem tudo a suas crenças tolas. Tudo é explicado pela Ciência. A Medicina está muito avançada. Não estamos mais na Idade Média em que tudo era obra de Deus ou do diabo.

Bem sabemos que, quando o caso é conosco, é bem diferente. E muitas vezes o ateu surpreende-se, dizendo: – Meu Deus, por favor, cure-me! Ou cure meu filho! E assim por diante. E quem de nós já não se viu em apuros, apelando para Deus resolver nosso problema? E por incrível que pareça, às vezes, Ele nos responde rápido, por meio daquele telefonema que tanto aguardávamos, do ônibus que passou na hora certa, salvando-nos de um atraso para um compromisso importante. E até de um avião ou qualquer outro meio de transporte que perdemos, salvando-nos da morte.

Concluindo o capítulo

Não importa a forma que utilizamos para nos comunicarmos com Deus; se uma oração formal, como o Pai-nosso; se espontânea, elaborada no calor do momento; se repetitiva, como o terço. Pode ser que Ele nos ouça diretamente ou que preste mais atenção na súplica de um intercessor piedoso; não sabemos. Mas vale a pena tentar ser ouvido por Ele.

Sim, Deus ouve nossas preces. Nós é que banalizamos o que Ele nos dá todos os dias, quando respiramos, olhamos a beleza do luar ou de um belíssimo dia de sol. Quando não dizemos a nosso próximo o quanto ele nos é importante, porque sempre acreditamos que haverá um amanhã. E como diria o saudoso Renato Russo, em uma de suas canções: na verdade não há.

8

Alimentos espirituais: a Comunhão e as Escrituras Sagradas

Introdução

A Eucaristia é uma das formas de expressão da espiritualidade cristã, sendo vista como alimento espiritual e ao mesmo tempo como oração de petição e louvor (MONDONI, 2002). Partindo do pressuposto que a espiritualidade é a manifestação transcendente do elo entre o ser humano e a divindade, a leitura religiosa, a comunhão, a prece, o batismo e outras tantas tentativas de comunicação com o Ser Supremo constituem formas de manifestação espiritual.

Scliar (1999), em sua tese de doutorado, examinou as ideias sobre saúde, enfermidade e prática médica na cultura judaica que, como em outras sociedades, modula suas ideias de acordo com o contexto histórico, econômico e sociocultural. Este autor identifica quatro fases ou períodos nesta trajetória: teológica ou bíblica; teológico-filosófica, ou talmúdica; médico-filosófica e moderna. Tais períodos correspondem, aproximadamente, a três modelos de pensamento médico que se sucederam na cultura ocidental: mágico-religioso, empírico e científico. Em cada fase ou período há uma figura polarizadora do pensamento sobre saúde e doença e da prática médica: o rabino, o sacerdote, o filósofo, o médico com formação codificada, científica. Estes três modelos podem coexistir dentro de uma mesma sociedade, ou seja, enquanto algumas pessoas ou grupos recorrem à Medicina chamada científica, outros procurarão o curandeiro ou métodos empíricos de diagnóstico e tratamento. Na cultura judaica ocorrem variações destes modelos. Assim, na fase religiosa o sacerdote assume papel importante, inclusive no diagnóstico e no encaminhamento de situações mórbidas em que a ideia de impureza está presente. O abandono do modelo religioso se faz por meio de uma fase teológico-filosófica em que rabinos, e depois filósofos, são figuras importantes. Ao longo de toda esta evolução, relatos e textos de origens diversas, anônimos ou não, deram testemunho das transformações sociais e individuais que acompanharam todo este processo. No caso de escritores, grandes obras literárias surgiram, tendo como ponto de partida a universal relação do homem com o binômio saúde-doença (Scliar, 1999).

Ainda tendo como base as afirmações do autor acima, Deus é o médico por excelência, como na seguinte passagem bíblica: "Eu sou o Senhor que te cura (Êxodo 15,26). O ser humano foi criado à imagem e semelhança de Deus, portanto não está isento de tomar cuidados com o próprio corpo, que é sagrado. A Bíblia traz muitas passagens com prescrições referentes à higiene corporal, dietas e cuidados para a prevenção de determinadas doenças.

A Eucaristia

Para falar sobre Eucaristia, deve-se obrigatoriamente fazer uma leitura e reflexão sobre o Evangelho de João. Em seu capítulo 6, este evangelista descreve vários aspectos do ato eucarístico, no qual Jesus se faz alimento. Mas não do tipo material, que estraga sob a ação do tempo. Ele é o pão vivo que desceu do céu para atender às necessidades humanas. Jesus faz uso de metáforas (pão, água, vida), dirigindo-se a sua pessoa, para explicar quão necessária é a fé nele, para que o homem sobreviva neste mundo e, principalmente, para que receba a vida eterna. Quem nele crê deve comer sua carne, beber seu sangue, comungando assim de sua bondade infinita, de sua intimidade com o Pai (Santos,1999). Este autor vai dizer: O mistério eucarístico é o mistério da fé por excelência, existindo entre ambos uma continuidade. Ou seja, o crente na pessoa de Jesus une-se a Ele, de forma que sua fé se faz uma celebração sacramental. O homem deve dar graças a Deus pelo alimento que retira da natureza, pois é um dom indispensável de subsistência. Da mesma forma como dependemos dos frutos que retiramos da terra para sobreviver, necessitamos da presença salvífica do Cristo ressuscitado, que se dá a todos os que o buscam no sacramento da comunhão.

Esta não constitui só alimento que dá força espiritual, mas também é a união de Cristo com seu corpo místico: a Igreja, que realiza, por meio da santa missa, o memorial da morte e ressurreição do Senhor, referências obrigatórias e indissociáveis do mistério cristão, mediante a oferta do pão e do cálice, na celebração eucarística. A missa é, portanto, para a Igreja Católica uma ação sacrificial, de modo que por meio do pão santo de vida eterna e do cálice de salvação perpétua (cânon romano), que são ofertados, faz-se o referido memorial, reconduzindo o povo salvificamente ao sacrifício único. Devem ser entoados cânticos apropriados para que a mente e o coração reflitam sobre a solenidade do momento: Deus está conosco (GIRAUDO, 2003).

A adoração da hóstia consagrada

Para os fiéis que não se acham dignos de receber na boca a hóstia consagrada, sua contemplação representa um grande conforto, pois aí está o corpo de Cristo. A Ele podem ser dirigidas orações fervorosas, em uma verdadeira comunhão espiritual (GIRAUDO, 2003). Daí a grande importância das exposições da Eucaristia no ostensório, cercada por raios luminosos, dando ao conjunto a aparência de um sol, desencadeando na Igreja Católica uma grande devoção.

No decorrer da história, foram muitos os desdobramentos do ato de adorar o Senhor exposto no Santíssimo Sacramento. Giraudo (2003) vai dizer que a realeza de Cristo se faz presente nos templos para ser admirada pelos fiéis, puros ou impuros, acreditando-se até que a simples contemplação da hóstia seria capaz de livrar o indivíduo de morte repentina ou desgraças. Essa devoção adquiriu até certos exageros por parte dos fiéis, que colocavam a santa missa em segundo plano, em detrimento desse momento de adoração.

Nos dias de hoje é comum a exposição do Santíssimo ao final de certas missas e também nas quintas-feiras nas igrejas de todo o mundo, possibilitando ao fiel ficar mais próximo de Deus, em momentos de silêncio e total entrega dos desalentos da vida. Mas também é um momento dedicado ao louvor e à ação de graças.

Estudo com hipertensos

No estudo que desenvolvi durante nove meses com os pacientes portadores de hipertensão, em Pedras de Fogo-PB, um dos aspectos observados foi o hábito de comungar em cerimônias religiosas. Entre as pessoas que se disseram mais assíduas quanto ao exercício de sua religiosidade, 31 (42,5%) delas disseram que comungavam regularmente, contrastando com 11 (17%) do grupo controle, na primeira etapa do estudo. Na etapa seguinte, os indivíduos do grupo de estudo que declararam comungar aumentaram para 44 (60%), enquanto que os do outro grupo não mais estavam comungando. A redução drástica da comunhão é compatível com a menor frequência aos cultos observada entre católicos e protestantes pertencentes ao GC. Constatei que tal prática religiosa não era exclusiva dos católicos, pois os protestantes também comungam, no que eles chamam de Santa Ceia, com pão ou hóstia, em cerimônia representativa. Aqui existe uma diferença na forma como essas duas denominações religiosas encaram a comunhão. Os sujeitos católicos acreditam que Cristo se faz vivo e presente na Eucaristia, enquanto os demais não. Os protestantes recebem o pão ou hóstia, como forma de relembrar o ato de Jesus em sua última ceia com os apóstolos, constituindo um ato simbólico.

Outro achado interessante foi a relação entre esta prática religiosa e a sintomatologia pesquisada. Os maus pressentimentos que alguns participantes da pesquisa diziam sentir, mesmo sem explicação racional, ocorriam menos nos que comungavam ($r = -0,235$; $p < 0,01$). Esta queixa era relatada como "sensação de que algo ruim vai acontecer", "uma angústia no peito que não sei explicar".

Curiosamente, alguns pesquisadores se preocupam em debater se o hábito de consumir hóstias e vinho nas igrejas traz maior risco de adquirir infecções ou não (LOVING; WOLF, 1997). Parece-me que não despertaram ainda para a visão contrária: a de que comungar pode ser bom para a saúde.

A comunhão é uma das formas de expressão da religiosidade (RIZZARDI; TEIXEIRA; SIQUEIRA, 2010). A presença de Jesus Eucarístico é muito importante para os cristãos católicos, sendo verdadeira fonte de vida para eles (ABIB, 2001; ABIB, 2005; MENDES, 2010; AQUINO, 2013). O efeito da comunhão é para eles superior ao dos outros sacramentos, pois ao receber a hóstia consagrada o cristão pode experimentar o próprio Cristo (LUBICH, 2010; AQUINO, 2013), sendo apontada como recurso útil na manutenção da boa saúde mental em situações de grande estresse (VAN THUAN, 2010).

Esse último autor experimentou a dura experiência do cárcere no Vietnã por um período de 12 anos, e a forma que ele encontrou de resistir ao sofrimento foi por meio da comunhão. Como padre ele recebia, às escondidas, a matéria-prima (hóstias e vinho), para dentro da prisão transformá-la no corpo e sangue de Cristo, distribuindo-a aos outros prisioneiros, alguns dos quais eram budistas. Aquilo os animava, impedindo que entrassem em depressão. Ele entendia que a verdadeira comunhão se faz quando todos se unem em torno de Cristo e de seus ideais, acabando com as desigualdades sociais, os conflitos e injustiças.

Milagres da Eucaristia

A Igreja Católica valoriza de tal forma a Eucaristia que instituiu uma data para festejá-la: uma quinta-feira após o segundo domingo de Pentecostes, celebrando *Corpus Christi*. Isto se deu após o reconhecimento de um milagre ocorrido na cidade italiana de Bolsena, devido às dúvidas do padre Pedro de Praga. Durante a celebração de uma missa por este padre, a hóstia partida durante a elevação começou a derramar sangue, inundando até o altar e manchando o piso da capela. Este milagre foi reconhecido pelo Papa Urbano IV no século XI (ABIB, 2005). A unidade da Igreja é estabelecida por Jesus Eucarístico, onde todos se transformam em Cristo. Na medida em que vivem o Evangelho, são semeadores da paz entre as pessoas em todos os ambientes (LUBICH, 2010).

Outro milagre famoso que se deu com a Eucaristia foi o de Lanciano, Itália, ocorrido no ano de 780. Nessa época, certo monge de São Basílio, muito culto, começou a interrogar-se sobre como Jesus poderia estar presente em um simples pão. Diante de seus olhos e de muitos fiéis, a hóstia transformou-se em carne, e o vinho, em sangue. Essas relíquias permanecem guardadas até hoje e conservam características de tecido vivo. Já foram examinadas por cientistas católicos e não católicos, os quais concluíram que a carne é de tecido de músculo cardíaco, o sangue é AB positivo (muito comum entre os judeus); e que ambos (carne e sangue) pertencem à mesma pessoa (ABIB, 2005).

Um terceiro milagre ainda relacionado à Eucaristia ocorreu no ano de 1330, na cidade de Lamada, Itália. Ali havia um sacerdote que não estava exercendo suas funções com o devido zelo, como deveria. Certo dia ele foi chamado para dar a extrema unção a um agricultor que se encontrava gravemente enfermo. Apressadamente, saiu para ministrar-lhe os sacramentos e descuidou-se colocando a hóstia consagrada dentro de seu Breviário (livro do Ofício Divino que os religiosos utilizam todos os dias para suas orações). Após ouvir o doente, ele pegou o livro para de lá retirar a Eucaristia. Foi então que para sua surpresa viu que as páginas estavam sujas de sangue. Ele arrependeu-se de ter agido com tamanho desleixo, não dando ao Corpo de Cristo o devido respeito; tratou-o como se fosse um objeto qualquer que pode ser colocado em qualquer lugar. A página com as marcas de sangue está em Cássia, na Itália, e quando iluminada por uma luz, revela o rosto de Cristo (ABIB, 2005).

A Eucaristia e a evolução humana

Diante de uma sociedade consumista e secular parece estranho que a Ciência se ocupe em estudar aspectos da realidade religiosa dos indivíduos. Mas para Pasolini (2010), importante físico e jornalista italiano, a Eucaristia era considerada o sacramento da evolução. De acordo com suas concepções, a evolução da espécie não se encerrava no homem, mas em Cristo. O que pode ser mais bem ilustrado em uma de suas afirmações:

> Vejo, por conseguinte, a Eucaristia precisamente como uma a imanência de um ato histórico, temporal, definido, que nos faz evoluir pessoalmente e, ao mesmo tempo, está unificando todos numa realidade superior. Vejo a Eucaristia

>como uma permanente ação em mim, que me insere sempre mais numa relação "substancial" com tudo: globalmente com o Corpo Místico; e depois com as pessoas, uma por uma, com tudo o que é bom, com tudo o que existe e com o que ocorre na Criação, com os animais, com as coisas, com as galáxias ainda em evolução... (Pasolini, 2010; p. 155).

O momento da transubstanciação, em que o pão deixa de sê-lo para tornar-se o corpo sacramental do Senhor, o mesmo aplicando-se ao cálice, em que o vinho se transforma no sangue de Cristo, não é uma mera argumentação gramatical, guiada pela lógica. Esta é sem dúvida matéria de pura fé. Durante a oração eucarística o celebrante com a assembleia repetem: "Fazei de nós um só corpo e um só espírito". Esta súplica nos remete à unidade dos santos, sem separar-nos dos pecadores, renunciando ao individualismo, em prol de um Todo (GIRAUDO, 2003).

A Eucaristia pode ser vista para aqueles que creem como antídoto ou verdadeiro remédio para os males que acometem o homem, sobretudo sua alma (ABIB, 2005). Sem dúvida alguma, estamos diante de um grande mistério. Com a razão nunca seremos capazes de desvendá-lo. Apenas por meio da fé poderemos aceitá-lo, acolhê-lo.

A leitura de textos sagrados ou religiosos

A relação do homem das antigas religiões com o sagrado institucional parece sempre contar com a presença e atuação de xamãs, curandeiros, exorcistas, terapeutas e médicos. A religiosidade humana sempre teve íntima relação com o sofrimento, a doença e a morte. O hinduísmo há muitos séculos faz uso de livros que, para o povo hindu, são verdadeiras revelações divinas. Dentre eles, o mais importante seria o Rigveda, com seus 1.028 hinos, constituindo-se em uma fonte antiga de representações, divindades e mitos religiosos. O Samaveda (Veda das melodias) por sua vez seria constituído de hinos cantados pelos sacerdotes durante os sacrifícios. O Atharvaveda (Veda das fórmulas mágicas) seria composto de outros livros, informando-nos mais amplamente sobre o mundo profano e espiritual da antiga cultura indiana com suas fórmulas mágicas, invocações, exorcismos, orações diversas, inclusive pela fecundidade e para obter de novo a potência juvenil. O Ayurveda (Veda das fórmulas medicinais e sacrificais), cujo significado seria ciência da vida, contém textos em prosa e vários mantras destinados ao rito sacrificial. Nos hinos do Rigveda, é presente a convicção de que a doença é um estado de desordem dos elementos corpóreos e que a antiga medicina da Índia tentaria restabelecer, de modo natural, as ordens original e cósmica por meio das correspondências entre macrocosmo e o microcosmo. Nesses registros estariam presentes inúmeras plantas medicinais (LIBÓRIO, 2010).

O autor supracitado afirma que no hinduísmo a busca da unidade e integridade do ser é fator de saúde biopsíquica e espiritual. No cotidiano da vida, a Religião é, para o hindu, a força que governa toda a sua existência. Não existe para esse povo uma divisão entre a esfera laica e a religiosa. Todas as fases da vida possuem um caráter religioso no hinduísmo. Para Buda, a meta básica da existência era o "caminho do meio" (madhyakata), ou, em outras palavras, o equilíbrio em nível biológico (homeostase), psíquico (eutimia) e espiritual. A estabilidade (permanência) para Buda é saúde global. De acordo com os pensamentos budistas, talvez vivamos mais doentes do que sadios, uma vez que estamos sempre desejando algo. Uma solução plausível de acordo com as mentalidades orientais seria o equilíbrio do corpo por meio de remédios naturais, exercícios, meditação, contemplação, yoga. Tudo isto favorece o equilíbrio da mente, do corpo e do espírito.

No cristianismo, por sua vez, tem-se uma fonte inestimável de ricas narrativas a respeito da fé como fonte de vida para a humanidade, desde seus primeiros livros até os últimos. Mas é nos Evangelhos que esta riqueza se multiplica diante das curas físicas e espirituais realizadas por Jesus. Correia Júnior (2010) faz uma análise hermenêutica de dois milagres realizados por Cristo, tomando como base a narrativa do evangelista Marcos (5,21-43). De acordo com suas afirmações, o texto analisado, que narra a cura da filha de Jairo, em um ambiente de intimidade familiar, revela que: só quem não perde a fé diante das dificuldades é que consegue ser plenificado pela graça proveniente do Messias. A hemorroíssa, uma mulher sem identidade própria, que emerge do meio de uma multidão, demonstra ser alguém com dignidade suficiente para ter sido salva pela fé que demonstrou em Jesus; curada definitivamente de suas mazelas, é chamada de filha pelo Salvador. Neste trecho, encontramos a experiência do poder de Deus, por parte da mulher – que o recebeu – e por parte de Jesus – que o intermediou.

Ainda, de acordo com esse autor, Jesus aí está no pleno exercício de sua missão, assumindo o poder de curar e restaurar vidas. Era importante para o evangelista, ao escrever, perpetuar a memória e ritualizar a presença de Jesus ressuscitado nas comunidades dos primeiros séculos em que os cristãos eram perseguidos. O mestre fez Jairo, figura tão importante na época, esperar, enquanto se detinha em procurar conversar com a mulher, sem qualquer relevância social, que o tocou de forma especial, no meio da multidão. Nessa narrativa, em que um milagre se sobrepõe a outro, vê-se o ensinamento em que o primeiro se faz último e o último se faz primeiro.

Outros aspectos interessantes frisados na análise desse Evangelho (Mc 5,21-43): a necessidade concreta e imediata das duas mulheres (hemorroíssa e a filha de Jairo); a primeira padece de um mal que ninguém podia curar; enquanto a segunda, já está morrendo. Em segundo lugar, a busca da cura, como uma forma de superar essa realidade. Busca-se desesperadamente a salvação daquilo que para o homem é seu bem mais precioso: a vida. Mas há apenas a esperança alimentada pela fé em Jesus. Diante da situação desesperadora são duas as alternativas: entregar-se ao desânimo de quem não vê mais saída, perambulando sem rumo, como rebanho sem pastor, ou sair reanimado pela Boa Nova trazida a todos na pessoa do próprio Cristo. Nesse meio estão os discípulos e os membros da casa de Jairo; naquele instante dotados de total insensibilidade e incredulidade, constituindo-se em obstáculos para a graça de Deus. Parece evidente que não basta reconhecer em Jesus o homem santo capaz de salvar. É necessário abandonar-se em seus braços; muitas vezes esperar em Deus até as últimas consequências é aos olhos do mundo pura loucura. É necessário ousar "tocar" na pessoa de Jesus, experimentado como um poder dinâmico, capaz de salvar integralmente o ser humano da doença e da morte, restituindo-lhe não só o direito à saúde, mas a vida em plenitude (CORREIA JÚNIOR, 2010).

Estudando a importância dos textos sagrados para a saúde

Manter-se intelectualmente ativo é benéfico para a saúde. A leitura, como todos sabem, é um dos recursos notoriamente eficazes para o estímulo da atividade cerebral. Ler textos sagrados ou religiosos e discutir sobre eles com os amigos pode ser uma excelente forma de exercitar nossos neurônios e, consequentemente, nossa capacidade cognitiva. As conexões neurais do lobo frontal são dessa forma estimuladas, aumentando a capacidade de comunicação, de resolução de problemas e de tomada de decisões. Por outro lado, o comprometimento cognitivo ocasionado pelo envelhecimento está diretamente relacionado com esta região cerebral; daí a grande importância de manter o intelecto em plena atividade. A leitura estimula a imaginação, e esta aumenta a probabilidade de realizar projetos, além de melhorar a coordenação motora. O estímulo intelectual reduz as reações de medo e raiva, as quais são maléficas para a saúde do indivíduo (NEWBERG; WALDMAN, 2009).

Durante minha pesquisa de mestrado, um dos parâmetros observados foi a interferência da leitura de textos religiosos sobre a saúde dos indivíduos estudados (PEREIRA, 2013). Nesta amostra 57,5% dos entrevistados pertencentes ao GE disseram fazer a leitura de textos sagrados regularmente (a leitura muitas vezes era feita por terceiros, uma vez que muitos eram analfabetos), em relação a 64% dos integrantes do GC. Com a intervenção realizada por mim, incentivando tal hábito, o GE teve um discreto acréscimo para 60% e o GC caiu para 54,5%.

Não foram encontrados resultados significativos do ponto de vista estatístico, ao analisar a prática em questão separadamente, porém esta intervenção era sempre muito bem acolhida pelos pacientes. Naquele instante eles paravam um pouco, esqueciam a correria do dia a dia, os problemas vivenciados em suas casas. Sentiam-se valorizados por um profissional da Medicina dar mais atenção, dirigir uma palavra de conforto, de esperança, e não apenas lhe receitar drogas de forma fria e impessoal. Nesse momento, havia espaço para que também falassem, desabafassem, se assim o quisessem. A Palavra de Deus também era lida para enaltecer a necessidade de o ser humano cuidar da própria saúde e de seguir as orientações médicas, uma vez que a Bíblia traz vários trechos valorizando a figura do médico, bem como desaconselhando o abuso do álcool e até da comida.

Lotufo Neto (2003) fala da importância dos textos bíblicos e do Alcorão, desde tempos remotos até a contemporaneidade, prescrevendo comportamentos de moderação alimentar, sexual, de consumo de bebidas alcoólicas e da busca pelo dinheiro. De acordo com este autor, estas recomendações são de grande relevância para a manutenção de uma boa saúde.

Em outra experiência desenvolvida por mim no PSF de Pedras de Fogo, desta vez com um grupo de saúde mental, usuários crônicos de psicotrópicos utilizavam como recurso a leitura de mensagens de caráter religioso para reduzir o estresse. Em cada reunião, eram ouvidos depoimentos dos participantes que declaravam ter melhorado de sintomas nervosos e até deixado de fazer uso de algum medicamento devido à prática religiosa. Tal experimento foi de caráter apenas qualitativo, sem avaliação estatística. No entanto, mediante a dificuldade que muitas pessoas têm de libertar-se do uso continuado de medicamentos para dormir ou reduzir a ansiedade, considero qualquer redução relevante do ponto de vista médico (PEREIRA, 2011). Por todos estes aspectos considero importante que se façam outros estudos com mais rigor metodológico para melhor avaliar os benefícios desta prática sobre a saúde.

Concluindo o capítulo

O ser humano, dotado de corpo, mente e espírito, necessita de alimento para sobreviver. Este não deverá ser apenas de natureza substancial, capaz de nutrir somente a matéria; mas também de natureza espiritual, fortalecendo o corpo por completo. A Palavra de Deus e a Eucaristia são os representantes cristãos desse tipo de alimento.

Quando o espírito é fortalecido, o corpo físico também é beneficiado; daí a importância desses elementos da religiosidade na saúde dos indivíduos. Não quero com isto subestimar ou desvalorizar as tantas formas que os seguidores de outras religiões utilizam para estimular sua espiritualidade. Mas meu foco de estudo é o cristianismo e, por este motivo, detive-me apenas em seus principais pilares: a Comunhão e as Escrituras Sagradas.

9

A consulta clínica com abordagem religiosa

Introdução

Outro ponto importante a ser debatido é a opinião que os pacientes têm acerca da abordagem religiosa na consulta médica. Como seria então seu ponto de vista sobre esse assunto? Quando questionados se achavam importante que o médico lhes perguntasse sobre sua prática religiosa, 111 (79,8 %) dos pacientes que participaram do trabalho que desenvolvi com hipertensos responderam que sim, enquanto 20 (14,4%) responderam que não. Oito (5,7%) deles não souberam ou não opinaram. Apenas 25 (18%) haviam sido questionados sobre este aspecto de suas vidas anteriormente por outro médico. Moreira-Almeida, Lotufo-Neto e Koenig (2006) chamam atenção para o fato de alguns profissionais não se sentirem preparados para abordar este assunto.

De acordo com esses autores, seria necessário que o profissional tivesse previamente o conhecimento acerca do ambiente em que o trabalho seria desenvolvido a posteriori. Dessa forma, obtendo uma maior aproximação com o doente, o profissional de saúde poderá ajudá-lo, suavizando seus sofrimentos.

Preocupação semelhante é compartilhada por outros profissionais que não sabem bem como abordar o assunto diante dos pacientes nem o melhor momento para fazê-lo. O bom senso é sempre mandatório, inclusive para selecionar o tipo de indivíduo que deverá ser questionado sobre esse assunto, como perguntar sobre a afiliação religiosa, sem promover discussões acaloradas ou simplesmente encerrar a questão quando perceber o desinteresse ou recusa da outra parte. Fundamental mesmo é demonstrar ao paciente seu valor como pessoa e aproximar-se mais dele (SAVIOLI, 2006).

A espiritualidade e os profissionais de saúde

"Curar quando possível; aliviar quando necessário; consolar sempre." Frase esta atribuída a Hipócrates, deveria ser relembrada e praticada diariamente pelos profissionais médicos. Somos meros instrumentos de Deus nesta vida, para suavizar o sofrimento de nossos semelhantes. A Medicina não deve ser exercida puramente com fins lucrativos, mas como um precioso dom, colocado a serviço dos que padecem.

Em meus 22 anos como médica do Programa Saúde da Família (PSF), ouvi muitas queixas dos pacientes com relação aos meus colegas de profissão. Muitos queixavam-se de terem sido atendidos com frieza, recebendo algumas vezes diagnóstico de doenças graves, sem qualquer cuidado. Certa vez, me veio uma senhora de certa idade, desesperada com um resultado de ultrassom na mão. A médica que havia realizado seu exame a tinha assustado com um suposto diagnóstico de câncer; o que além de ser inapropriado, tendo em vista o método laboratorial empregado (ultrassom), foi totalmente desumano, pela forma como foi transmitido à paciente. Eu a tranquilizei, convencendo-a a realizar exames mais específicos; o que de pronto afastou seus temores. Também lhe esclareci que, em se tratando de um câncer, teria tratamento. Apelei na ocasião para a religiosidade da própria paciente, afastando o pavor que nela se instalara inicialmente.

Tenho convicção de que dificilmente um profissional dotado de espiritualidade, qualquer que fosse sua prática religiosa, ou simplesmente alguém consciente de que devemos tratar as pessoas com humanidade, teria tido uma postura como esta. Liberato (2021) nos fala da importância do cuidado integral com a pessoa do doente, tendo em vista suas singularidades, buscando acima de tudo melhorar sua qualidade de vida. Ele destaca o papel da dimensão espiritual na compreensão do sentido do sofrimento existencial do sujeito, colocando-o como protagonista de sua própria história. De forma bem apropriada, o referido autor coloca que, a prioridade na assistência aos doentes não deve ser a cura, tampouco o lucro com seu tratamento. O foco deve ser o acolhimento de todo aquele que sofre, mantendo sua dignidade até o último dia de sua vida.

Saporetti e Silva (2021) trazem à tona um aspecto bem interessante do processo de cuidar: o fato de que nós, "curadores", também adoecemos. Tendo esse pensamento como primícia, nós nos comportaremos com mais empatia, ou seja, com mais compaixão, frente aos nossos pacientes. Esses autores falam do arquétipo do Curador Ferido, representado em vários mitos, que nas mais diversas culturas, demonstram que o ser humano, tomando consciência de sua mortalidade, se compadecerá de seu semelhante. Isso me traz à memória a célebre frase: "Médico, cura a ti mesmo".

Uma das intervenções do psicólogo na enfermaria geriátrica do Hospital do Servidor Público Estadual de São Paulo é auxiliar o paciente de modo que, para ele, o período de hospitalização seja o menos desconfortável possível, na intenção de propiciar-lhe bem-estar psicológico, emocional e espiritual durante a internação. Ao atender os pacientes nos leitos, observa-se a demanda para o atendimento religioso, por meio da relevância que o paciente atribui à Religião. Este hospital dispõe de serviços de capela; e, caso o paciente demonstre o desejo de colocar em prática suas crenças religiosas, é informado quanto a sua disponibilidade. Os pacientes têm aceitado bem o atendimento religioso e relatam sentirem-se melhor após tal assistência (DUARTE; WANDERLEY, 2011).

A maneira como a espiritualidade será tratada pelo profissional de saúde também deve ser foco de suas atenções. Afinal este é um assunto delicado na abordagem ao paciente, requerendo certo preparo (EVANGELISTA et al., 2016) e tato da parte de quem o executa. Chama-se atenção para a necessidade de se coletar uma "história espiritual" do paciente e que isto seja feito de forma sensível, rápida, centrada nas crenças do paciente e de fácil entendimento para ele. Igualmente importante é o momento em que se pode abordar o tema com o paciente. Certas ocasiões não são convenientes para que seja abordado um assunto desta natureza. Pacientes em situações de morte iminente, recuperando-se de anestesia em pós-operatório ou recuperando-se de um enfarte do miocárdio, não são bons exemplos de indivíduos que devam ter sua "história espiritual" colhida. Da mesma forma não é conveniente falar sobre este assunto quando profissional de saúde e paciente não mantêm nenhum vínculo de relacionamento. Koenig (2007b) sugere que as melhores situações para questionar sobre a espiritualidade do indivíduo são: por ocasião da anamnese de um novo paciente, na admissão hospitalar ou em visitas ao médico para revisão rotineira de saúde. A história espiritual mencionada acima também deve ser colhida pelos psiquiatras, em virtude do papel que as crenças religiosas e espirituais podem ter nas doenças tratadas por esta especialidade (KOENIG,2007c). Afinal se faz necessário distinguir se a pessoa por ser muito religiosa está tendo experiências místicas ou se na verdade ela está manifestando um sintoma psiquiátrico, passível de tratamento. Neste caso haverá outros sinais patológicos, além do que a capacidade deste indivíduo manter uma vida social normal estará comprometida (KOENIG,2007d). Este tipo de questionamento, em que são abordadas as nuances espirituais do indivíduo, também é incentivado por Celich et al. (2009).

O papel da espiritualidade na prática clínica em saúde mental toma uma posição marcadamente preventiva, tornando-se uma poderosa ferramenta no cuidado integral do paciente com transtorno psíquico (LEITE; SEMINOTTI, 2013). Desse modo, o diagnóstico psiquiátrico deve incorporar a compreensão das crenças, práticas e valores que definem o mundo do paciente (PARGAMENT; LOMAX, 2013).

Um estudo desenvolvido em hospitais e centros de reabilitação comunitários em saúde mental, em Hong Kong, investigou a significação da espiritualidade a partir das perspectivas de pessoas com esquizofrenia e profissionais de saúde mental. Foi adotado um delineamento qualitativo com entrevistas individuais semiestruturadas e sua análise, baseada em dados coletados a partir de entrevistas com 18 indivíduos com diagnóstico de esquizofrenia e 19 profissionais de saúde mental. Ao final, concluiu-se que, para os pacientes da pesquisa, a espiritualidade era vista como uma fonte de amor e cuidado, enquanto que os profissionais de saúde a encaravam como um meio para aliviar os sintomas, aumentar a aceitação social e lidar com experiências de doença (HUNG Ho, R. T. et al, 2016).

Talvez o maior desafio na Medicina atual seja a aceitação do outro como outro, em sua diferença, estranheza, não-eu. É grande a dificuldade de compreender, escutar, dialogar, respeitar o diferente (PELIZOLI, 2014). No contexto do trabalho, a espiritualidade não estaria ligada a um sistema religioso, nem a rituais, doutrinas ou crenças religiosas institucionalizadas, mesmo que seus valores sejam comuns à maioria das religiões. Seria uma nova perspectiva de humanização do trabalho e de uma maior realização no ato de trabalhar, baseada na transformação da consciência, favorecendo o bem-estar emocional e a construção de valores e práticas que não estão associados ou representados em termos de religião ou mesmo de religiosidade (SILVA; SIQUEIRA, 2009).

Vanderlei (2010), Peres, Simão e Nasello (2007) afirmam em seus apontamentos que é indispensável o respeito às crenças do paciente, mantendo a neutralidade por parte de quem faz o questionamento. A inclusão de questionamentos sobre a religiosidade do indivíduo na anamnese pode ser de grande utilidade para estabelecer uma melhor relação entre médico e paciente. Por ocasião da seguinte indagação: Você acha importante o médico saber sobre sua religião? Foram obtidos muitos depoimentos que demonstram isto.

Os pacientes expressaram em suas respostas a melhor comunicação estabelecida com o médico, após incluir em sua anamnese questões sobre sua religiosidade, bem como uma maior confiança no profissional que declare ter fé em Deus. Eles também declararam que era importante para estabelecer a terapêutica que se tenha conhecimento sobre a afiliação religiosa do doente. Houve ainda uma entrevistada que respondeu de uma forma muito completa o quão significante pode ser este aspecto da consulta clínica:

> "Sim. Em minha opinião, existem tantas coisas que podem afetar nossa saúde. A falta de dinheiro, o relacionamento com as pessoas e com Deus podem ser exemplos. Dependendo de sua qualidade de vida, sua saúde pode estar sendo afetada. Acredito que tanto a presença quanto a ausência de Deus em nossa vida podem interferir em nossa saúde física e espiritual. É necessário que o médico tenha acesso a determinadas informações sobre nossa vida, como nossa religião; só assim, ficará mais fácil para ele detectar onde está a solução para algumas doenças" (E 101).

A ideia central da maioria das respostas fornecidas pelos hipertensos que participaram do estudo girou em torno da maior confiança do paciente em relação ao profissional que se interessa pelo aspecto religioso de sua vida. É como se ao questionar o doente sobre sua religiosidade o médico demonstrasse mais compaixão e humanidade por quem está a sua frente, passando por um momento de fragilidade. As falas demonstram que muitos pacientes se identificam e confiam mais no médico que acredita em Deus.

Não se pode esquecer que uma boa parte dos pacientes possuem suas crenças e necessidades espirituais. Estas muitas vezes não são completamente satisfeitas, uma vez que nos Estados Unidos há uma fração muito pequena de profissionais de saúde que se preocupam com este aspecto da assistência e o número de capelães não é suficiente para esta demanda; isto pode levar ao isolamento do indivíduo, que já se encontra frágil e distante das outras pessoas de sua comunidade religiosa. Além disso, as decisões terapêuticas e os resultados obtidos sofrem influência da religiosidade do indivíduo, na medida em que certas religiões não aceitam determinados procedimentos clínicos e o estresse interfere diretamente sobre a resposta imune e sobre o funcionamento do aparelho cardiovascular, podendo favorecer ou não o tratamento. Além disso, ao se entrosar com o doente, o profissional poderá ter um maior conhecimento sobre que tipo de assistência ele terá ao sair do hospital; se terá um suporte para continuar seguindo as recomendações médicas. Pessoas que pertencem a grupos religiosos geralmente contam com uma maior rede de apoio para este tipo de situação (Koenig, 2012). Acredito que esta realidade não seja exclusiva entre os norte-americanos, mas também comum aqui no Brasil.

Muitos profissionais de saúde já admitem ser importante para o processo de cura o bom relacionamento médico-paciente. Também aí está implícita a Física Quântica. O paciente, para curar-se, deve ter confiança no médico que o assiste e na terapêutica empregada por ele. Mas o médico também precisa acreditar no que faz. Nossa consciência é uma só, é não local; portanto transmitimos uns aos outros pensamentos positivos ou negativos (Goswami, 2006).

A espiritualidade é fundamental nos momentos de crise, ajudando a entender o adoecimento, o sofrimento (Pereira, R. C. F., 2012; Koenig, 2012; Evangelista et al, 2016), as perdas pessoais e a aproximação com a morte, auxiliando o indivíduo a encontrar sentido para sua vida. É de fundamental importância entender a postura do paciente adiante de sua doença e fé religiosa (KOVÁCS, 2007; SIMON; CROWTHER; HIGGERSON, 2007; PONTES, 2012). Portanto a abordagem médica mais correta levará em consideração o indivíduo em suas três esferas: física, mental e espiritual (PEREIRA; KLÜPPEL, 2013a).

Em uma pesquisa realizada por Wettstein (2010), apenas 1,7% dos pacientes declararam ficar constrangidos ao serem questionados sobre aspectos religiosos de suas vidas. Koenig (2004 e 2007a) enfatiza a importância de se colher a história espiritual para melhorar a relação médico-paciente. Em outra publicação (2012), este último autor enumera algumas questões que podem constituir o histórico espiritual do paciente, tais como:

- Suas crenças religiosas/espirituais lhe oferecem conforto ou são fonte de estresse para você?
- Você tem crenças espirituais que possam influenciar as decisões médicas?
- Você é membro de alguma comunidade religiosa? Esta lhe oferece suporte de algum tipo?
- Você tem alguma outra necessidade espiritual que gostaria que fosse atendida por alguém?

Segundo esse autor, tais informações podem fazer parte do prontuário médico, mas é fundamental que o paciente seja informado previamente que se trata de questões feitas de rotina, não significando agravamento de seu quadro clínico. Também é importante que o corpo clínico mantenha algum tipo de contato com a comunidade religiosa da qual o doente faça parte; isto porque a equipe ficará a par da situação social que o agrega, podendo contribuir para um melhor acompanhamento no pós-internamento.

No entanto, o referido autor chama a atenção para o fato de não ser permitido prescrever religião para o paciente ou promover com ele ou seus familiares calorosas discussões sobre o tema. Também não é aconselhável que o profissional de saúde faça perguntas sobre o lado espiritual do sujeito, sem preparar-se previamente ou se o mesmo não desejar.

Gary McCord et al. (2004) realizaram um estudo em Ohio, entrevistando pacientes e parentes destes, em salas de espera, tendo encontrado um percentual de 83% de indivíduos que desejavam ser questionados sob o aspecto de suas crenças por seus médicos; 62% deles acreditavam que isto contribuiria para a tomada de decisões terapêuticas e 87% deles, para a obtenção de um tratamento mais compreensivo por parte dos médicos. Alguns (67%) achavam que tais informações contribuiriam para incentivar nos médicos atitudes mais esperançosas em relação aos doentes de uma maneira geral.

Bowie, Sydnor e Granot (2003) encontraram em sua pesquisa, envolvendo 14 homens afro-americanos portadores de câncer de próstata, 64% dos entrevistados que responderam haver comunicado anteriormente suas crenças religiosas a seu médico. Desses, 57,1% desejavam que o corpo clínico e o clero de sua religião mantivessem algum tipo de contato. O referido estudo sugere que o atendimento às necessidades espirituais dos pacientes faça parte dos cuidados a eles ministrados.

Koenig (2007a) enfatiza a importância de o médico ser sensível à situação clínica do paciente, podendo até em alguns casos orar com ele, aceitando sua opção religiosa, estando atento para possíveis interferências sobre a terapêutica. No entanto, não se pode esquecer que médico não é sacerdote e que o paciente pode sentir-se constrangido com sermões durante a consulta. Este profissional deve agir com a máxima cautela, abordando questões religiosas somente se adequado para a situação (SAVIOLI, 2006).

O respeito do profissional de saúde pelas crenças do paciente poderá afetar positivamente a adoção de medidas preventivas ou terapêuticas, sendo necessária a inclusão de disciplinas que abordem o assunto em um maior número de universidades em nosso país (DAL-FARRA E GEREMIA, 2010; PONTES, 2012; LIMA, 2013).

A Medicina vem evoluindo de forma cientificista nas últimas décadas, a ponto de a escuta ser paulatinamente substituída pela ausculta dos pacientes (ILLICH, 2010) e o exame clínico dar lugar aos exames laboratoriais cada vez mais complexos, muitas vezes a pedido dos próprios clientes. Estes buscam cada dia mais a sofisticação de novos aparelhos, acreditando ser possível evitar o inevitável: a morte. Não quero tirar o mérito de alguns exames preventivos que devem ser feitos por homens e mulheres anualmente, evitando o diagnóstico tardio de um câncer de próstata, de mama ou de útero. Mas o fato é que não temos como prever tudo o que pode acontecer ao corpo de uma pessoa, pelo simples fato de ela se submeter com frequência a exames de rotina.

No campo psíquico, o ser humano está anestesiando suas dores com medicamentos psicotrópicos, quando deveria estar refletindo mais sobre o que as causou, sobre seu verdadeiro "eu", descobrindo uma maneira peculiar de lidar com seus sofrimentos. A Medicina que utilizava também recursos espirituais vem sendo substituída por outra, mecanicista e desumanizada. A Medicina Ayurvédica, ao contrário, estimula no homem o autoconhecimento, a busca da interação com o cosmos e seus elementos: água, fogo, ar, éter e terra, para obter a saúde integral (GUIMARÃES, 2010).

O profissional que se dedica a cuidar da saúde de seus semelhantes deverá apresentar uma disposição para uma relação criativa e implicada com o outro, podendo se emocionar, sentir-se tocado, ofertando-lhes um cuidado humanizado. Esta relação segura se sustenta justamente por compartilhar no íntimo de uma verdade nossas fragilidades, que podem ser também enriquecedoras e transcendentes. A alma humana anseia por segurança, verdade, esperança e liberdade, para que haja um pleno desenvolvimento e se tenha realmente saúde, pois estes são alimentos espirituais indispensáveis para uma vida cotidiana vibrante. A negação da espiritualidade do sujeito contribui para a limitação do cuidado e para o empobrecimento das estratégias terapêuticas (BARRETO; RÖHR, 2014).

Vale ressaltar a importância do cuidado humanizado e da atenção aos aspectos subjetivos dos doentes, incluindo suas crenças e hábitos, como promotores de bem-estar e de uma boa relação médico-paciente. Pereira e Klüppel (2013b; 2014a) observaram melhora em diversos sintomas apresentados pelos pacientes no decorrer de um estudo longitudinal, desenvolvido com hipertensos no município de Pedras de Fogo. Algumas destas queixas tiveram redução significativa, estando tal fato relacionado com a assistência médica recebida, pautada nos novos paradigmas de saúde (mente-corpo-espírito). Duarte e Wanderley (2011) e Evangelista e colaboradores (2016) consideram a religião e a espiritualidade recursos relevantes, utilizados muitas vezes pelos idosos hospitalizados como estratégia de enfrentamento. De acordo com o pensamento destas autoras, ao reconhecer o bem-estar que estes aspectos proporcionam ao indivíduo, o profissional de saúde presta-lhe atendimento humanizado.

Um estudo realizado com portadores de HIV, acompanhados em um ambulatório especializado em Recife-PE, concluiu que a religiosidade favoreceu o enfrentamento da situação vivenciada com o diagnóstico e tratamento da doença. De acordo com a pesquisa, é importante que o profissional de saúde utilize os conhecimentos sobre religiosidade e espiritualidade em sua prática profissional (PINHO, 2017).

Os serviços de capelania

Para oferta de assistência religiosa, alguns hospitais contam com serviço de capelania. Pedroso (2021) apresenta dois tipos de capelania: o denominacional e o profissional. No primeiro, o serviço é oferecido por líderes religiosos (padre, pastor, voluntários espíritas ou da Pastoral da Saúde) que assistem os doentes de suas respectivas religiões, de forma voluntária. Já no segundo, bem raro aqui no Brasil, o capelão é contratado pela instituição hospitalar e passa a fazer parte da equipe multidisciplinar de profissionais que participam do tratamento. Nesse último caso, o capelão poderia ser um profissional com curso de Teologia, cursos de áreas afins ou das especializações em Filosofia da Religião e/ou Ciências das Religiões, com pelo menos cinco anos de experiencia no atendimento espiritual, disposto a lidar com pessoas dos mais diversos credos ou até mesmo sem denominação religiosa.

A espiritualidade como ferramenta nos processos de reabilitação de pacientes

Muitas vezes nos deparamos com situações desfavoráveis no decorrer da vida, em que nós, profissionais de saúde, adoecemos e trocamos de lado. Então nos vemos ocupando a posição do doente. Recentemente, em 2022, passei por uma cirurgia no punho, malsucedida, que me rendeu diversos problemas de saúde, pois além de não corrigir o problema inicial (Síndrome do Túnel do Carpo), lesionou um dos nervos que inervam a musculatura da mão, comprometendo os movimentos de flexão, extensão e rotação de todo o membro. E não somente isso, mas reduziu a passagem dos estímulos nervosos para a palma da mão e ponta dos dedos. Em consequência disso, sofri diversas queimaduras na mão direita (sou destra) e passei a ter muita dificuldade para escrever, digitar, segurar objetos, abrir maçanetas e portas, dirigir, trabalhar enfim.

Passei a fazer fisioterapia intensiva, quando tive a oportunidade de conhecer três profissionais de primeira linha nessa área: as fisioterapeutas, Natália Guedes, Andreza Maria e Liliane Félix. Coincidentemente, católicas e devotas de São Miguel Arcanjo, por quem tenho grande devoção (de frente à porta de entrada da minha casa, tenho uma imagem de tamanho grande de São Miguel e faço sua quaresma todo ano em agosto com o Instituto Hesed).

Apesar de todo esforço, meu e dessas profissionais dedicadíssimas, a musculatura da minha mão começou a atrofiar, continuei sentindo dores terríveis; o que me obrigava a tomar remédios fortíssimos. Foi então que me vi obrigada a passar por um segundo procedimento cirúrgico, em novembro do mesmo ano. Dessa vez, fui operada por outra equipe de médicos, dois neurocirurgiões: Dr. Nêuton Magalhães e Dr. Artur Nóbrega. A cirurgia foi bem mais complexa do que a primeira, melhorando as funções da minha mão, impedindo que eu viesse a ficar inválida.

Cito aqui os nomes desses cinco profissionais como forma de agradecimento e também para ilustrar a importância do tratamento humanizado, ainda mais em um processo tão difícil como o de reabilitação, no qual o doente se vê ameaçado em sua capacidade laborativa, de onde tira sua sobrevivência. Também lhe sobrevém o medo do futuro, de ficar dependente de outras pessoas até para tarefas simples de seu dia a dia. A espiritualidade dos profissionais que atendem os pacientes nessa condição é muito importante para a continuidade do tratamento, bem como para seu sucesso.

Médicos munidos de espiritualidade têm mais compaixão por seus pacientes, visam menos o lucro e mais o êxito de seu próprio trabalho. Isso afirmo com propriedade, pois muitas vezes no atendimento de minha pessoa e de meus familiares, pude fazer essa comparação. Sempre fomos mais bem atendidos por profissionais religiosos que não se colocam no lugar de Deus, mas têm consciência de que são meros instrumentos a serviço de Alguém ou Algo que está acima de todos.

Fui muito bem cuidada por esses colegas, que além de muito competentes, são profissionais diferenciados, por exercerem a Medicina com muito zelo e amor.

As fisioterapeutas, por mim citadas aqui no texto, têm sido incansáveis nas sessões feitas comigo. E por serem muito católicas, como mencionei, falam comigo o tempo todo que Deus tudo sabe, que atende nossas orações, que nos auxilia a seguir em frente; enfim, nunca me deixaram desistir, me fazendo sempre acreditar no melhor resultado possível de meu tratamento. Estão sempre buscando novos métodos que me beneficiem, pois são muito estudiosas e atualizadas.

De minha parte, tenho me esforçado ao máximo para cumprir as recomendações médicas e fisioterapêuticas. Mas, sem dúvida, não teria evoluído tanto em minha recuperação, se não tivesse conservado minha fé em Deus e nos santos por quem tenho devoção. Também tenho gozado de grande apoio social dos irmãos e do pároco da minha igreja (padre Paulo Cordeiro Fontes), que intercedem por mim em suas orações e me encorajam com palavras de ânimo.

Atualmente, já estou trabalhando, escrevendo, dirigindo, realizando melhor as tarefas de meu dia a dia, porém com algumas limitações, principalmente em decorrência do comprometimento sensitivo dos dedos indicador, médio e polegar. Infelizmente, a recuperação de um nervo muitas vezes não é completa ou pode demorar anos até que se conclua. Sigo em frente, com fé em minha recuperação, e por que não dizer "à espera de um milagre", sendo acompanhada por esses cinco profissionais por quem tenho profunda admiração e gratidão.

Você está passando por algum problema?

Essa pergunta clássica sempre fez parte de minha anamnese junto ao paciente com doenças de difícil controle ou cujos exames não correspondiam aos sintomas. As respostas eram as mais variadas. Desde um simples "não, doutora", até um desabar em um choro incontido. Algumas histórias são surpreendentemente terríveis. Escutamos de tudo em um consultório médico.

Certa vez formulei essa questão a uma mulher cuja pressão arterial era permanentemente alta e ela me disse que ficara assim após ter perdido a filha adolescente atropelada. Receitei-lhe um calmante, pois entendi que os anti-hipertensivos não conseguiriam resolver seu problema. A partir de então ela melhorou. Sua dor seria eterna, mas ao menos seria mais suportável.

Outra senhora me respondeu a essa mesma indagação, dizendo que descobrira que o marido tinha uma amante, pelo mesmo período de tempo que durara seu casamento com ele, cerca de 40 anos. Ela nutria uma imensa mágoa do marido e isto lhe rendia uma hipertensão arterial.

Algumas pessoas me davam uma resposta negativa, afirmando não ter nada demais acontecendo com elas. Mas alguém que as conhecia me revelava a raiz do problema: o relacionamento amoroso. Uma destas pacientes tinha um diagnóstico nada favorável: lúpus eritematoso sistêmico. Ela tentava concentrar nosso diálogo em seus sintomas físicos, em suas dores articulares, em sua pressão arterial que subia assustadoramente. Sorria às vezes, falava no marido naturalmente, como se estivesse tudo bem, quando na verdade estavam passando por uma grave crise.

Outra dessas pacientes me falava insistentemente de suas dores no peito, mostrando-me seus exames cardiológicos normais, o que parecia lhe contrariar. Percebi que para ela seria mais fácil enfrentar uma doença grave, do que encarar seu problema de frente. Ela não me falava da parte emocional, embora eu soubesse que por trás de tudo aquilo havia uma situação existencial mal resolvida. Era um caso típico de pessoa que sente dor em todo o corpo, sem que nada fosse encontrado em seus exames.

Infelizmente, alguns destes casos inicialmente diagnosticados como hipocondria são revertidos em patologias reais. O indivíduo acredita tanto em sua doença, que ela se manifesta também em seu corpo físico. Antes estava confinada em sua mente, manifestando-se apenas com sintomas "fictícios". Depois de certo tempo, suas células materializam este pensamento e adoecem. Essas colocações são fundamentadas na "significação" das doenças e na "não localização da mente", muito bem descritos nos livros de Larry Dossey.

Olhar para o paciente

É muito comum a queixa de pessoas que vão a consultórios médicos públicos ou privados, afirmando que o profissional não olhou para elas. Manteve-se com o olhar fixo nos papéis, escrevendo o tempo todo. Alguns hoje dedicam-se a operar um computador, para digitar informações em prontuários e imprimir receitas; não ouvem, não encaram, não examinam o doente.

Certa vez assisti, em um documentário, a uma mulher falando que havia levado seu cônjuge durante meses aos hospitais, com um quadro clínico de diarreia crônica e um emagrecimento progressivo, sem que descobrissem seu diagnóstico. Até que um dia, segundo suas palavras, "o médico olhou para meu marido e suspeitou que ele estivesse com AIDS". Foram meses preciosos, que custou a vida daquele homem; e o pior é que sua esposa já estava contaminada, assim como o filho que haviam gerado há poucos anos.

Concluindo o capítulo

A inclusão de questões espirituais ou religiosas na entrevista com o paciente é mais uma oportunidade para que o médico olhe, escute e examine mais profundamente seu paciente, dando-lhe subsídios para ter mais fé na terapêutica que será instituída. Para o médico cristão, trata-se de mais uma oportunidade de ver naquele que sofre o próprio Jesus a sua frente.

A abordagem religiosa durante a consulta abre um leque de possibilidades, dando ao paciente a oportunidade de expressar-se, de pôr para fora sentimentos de medo, angústia, desconfianças em relação a seu tratamento; além de permitir ao médico fomentar no doente a esperança, a confiança, a tranquilidade, a serenidade.

Em recente revisão de artigos científicos que pesquisam a aplicabilidade da religiosidade nos tratamentos de saúde, verificou-se que existe a necessidade de incluir uma história espiritual na anamnese dos pacientes, melhorando sua adesão ao tratamento, bem como sua satisfação com os cuidados que lhes são ministrados (MOREIRA-ALMEIDA, A.; KOENIG, H. G.; LUCCHETTI G., 2014).

10

Perdão e altruísmo: sua relação com a saúde

Introdução

Perdoar é antes de qualquer coisa uma decisão. A mágoa muitas vezes não é esquecida de imediato, mas o início do perdão se dá quando o sujeito abre mão do desejo de vingança. O perdão requer todo um processo, iniciando com a vontade de perdoar, passando pela etapa de colocar-se no lugar do outro, procurando entender o porquê de sua atitude, até ocorrer sua finalização, sem impor condições. Nem sempre é possível a convivência harmoniosa entre o que foi ofendido e quem ofendeu. Mas o perdão pode ser colocado nas mãos de Deus como uma súplica, para que se torne possível um dia (MENDES, 2010). Pode ser visto como um verdadeiro milagre na raça humana e, ao contrário do que alguns possam pensar, é um sinal de evolução entre os mamíferos. É um excelente investimento para o futuro, garantindo paz e tranquilidade. Pode ser visto como sinal de maturidade (VAILLANT, 2010).

Pedir perdão e reconciliar-se com o Pai celestial é fundamental para o processo de cura (ARNOLD, 2002; PEREIRA, s.d.; ABIB, 2010a). Quando o indivíduo fica preso ao passado, com rancores e mágoas, coloca obstáculos à própria felicidade e, por conseguinte, prejudica a própria saúde.

O estudo desenvolvido com enfermeiros em João Pessoa (EVANGELISTA et al, 2016) também citou a importância do perdão entre pacientes que enfrentam situação de internamento para os últimos cuidados.

O altruísmo é também um mecanismo saudável de enfrentamento e pode desencadear no cérebro humano reações de satisfação semelhantes às que são vistas nos viciados em drogas. É uma capacidade que está em plena evolução, ao contrário dos sentimentos negativos de aversão, ódio e medo. As comunidades que norteiam seus ideais na disposição para fazer o bem sobrevivem por mais tempo do que aquelas que se norteiam apenas pela racionalidade. Um exemplo disso: a Ordem dos Beneditinos, sempre preocupada com o bem-estar dos doentes, existe até hoje, ao contrário da organização nazista que enaltecia a perfeição e superioridade genética de uma raça em detrimento das outras, e durou menos de uma década (VAILLANT, 2010).

Dada a importância dessas duas variáveis e por entender que são necessários mais estudos científicos sobre o assunto, escrevemos este capítulo com os temas perdão e altruísmo.

Estudando os benefícios do perdão

Perdoar sai mais barato que manter o ressentimento. Tomemos como exemplo os conflitos que se sucederam na História da humanidade. É bem possível que se os vencedores da Primeira Guerra Mundial não tivessem sido tão duros com os alemães no Tratado de Versalhes, não tivesse havido o Holocausto. Por mais justo que possa parecer o combate ao terrorismo internacional, esse enfrentamento tem ceifado muitas vidas nos Estados Unidos, em Israel, na Palestina e em outras partes do mundo (VAILLANT, 2010).

No estudo a que venho me referindo desde o início deste livro, encontrei 71 indivíduos do GE que disseram praticar o perdão nas duas etapas da pesquisa, enquanto no GC esses valores foram reduzidos de 62 para 59 sujeitos. A literatura chama atenção para a importância de atitudes de perdão e altruísmo por parte do ser humano, como forma de melhorar suas condições de saúde (LOTUFO NETO, 2003; MENDES, 2010; PEREIRA, s.d.; MOREIRA-ALMEIDA, LOTUFO-NETO E KOENIG, 2006).

A explicação científica para tal afirmação deve-se ao fato de que o simples ato de perdoar traz benefícios para o sistema imunológico. O amor é outra emoção muito benéfica; inclusive o amor a Deus ou sentir-se amado por Ele relaciona-se a uma melhor saúde física e mental; e o culto, assim como a prece, ao estimular tais sentimentos, promove a cura ou melhora de diversas doenças, inclusive da hipertensão (LEVIN, 2011). Mesmo assim a Psicanálise tem se ocupado mais com o estudo das emoções negativas do que com atitudes positivas, como o perdão. O que pode ser um equívoco; uma vez que esta é uma atitude das mais difíceis de se entender e de se praticar, pois não obedece puramente aos comandos cognitivos (VAILLANT, 2010).

Entre as pessoas que participaram da pesquisa com hipertensos, houve um relato muito interessante a respeito do perdão, durante uma das reuniões de estímulo à religiosidade promovida por mim:

> "Faço parte da Pastoral da Família com meu marido... houve uma época em que ele não frequentava a igreja e nós não estávamos bem no casamento. Essa mensagem me lembrou deste episódio: eu podia ter destruído meu casamento, mas eu pensei em minha filha. Eu abri mão do meu orgulho, porque eu dizia que não aguentaria ser traída. Mas falei com ele e disse que se quisesse continuar teria que viver direito... eu me emocionei com o depoimento dele na igreja cheia de gente. Disse que tinha errado, mas se arrependeu... gosto muito dessas mensagens. Vou xerocar e distribuir na reunião da pastoral" (E 38).

Impressionante a força de suas palavras e o brilho intenso de seus olhos naquela ocasião. De acordo com ela, sua pressão arterial começara a elevar-se na época em que enfrentara tais problemas no casamento; da mesma forma, passou a ficar mais controlada, após o entendimento com o marido e o maior envolvimento do casal com as atividades paroquiais.

O sentimento de culpa muitas vezes tira a serenidade e a paz de espírito do indivíduo, comprometendo sua saúde física e espiritual. O perdão dado e recebido vem restaurar esse equilíbrio quebrado anteriormente (MENDES, 2007).

O livro "Milagres aos nossos olhos" traz inúmeros relatos de pessoas que obtiveram a cura de diversos problemas: doenças cardíacas, dores no corpo e até o câncer, a partir do perdão dado a outrem (ABIB, 2010a). É interessante esta associação entre o perdão e a cura, entre a falta de perdão e as enfermidades. O próprio Jesus declarava ao curar os doentes: "Teus pecados estão perdoados" (Mc 2,5; Lc 5,20) ou "Olhe, você está curado. Não volte a pecar, para que algo pior não aconteça a você" (Jo 5,14). Esta parece ser mais uma evidência da relação existente entre mente-corpo-espírito, que não pode ser desprezada pela Medicina atual.

Para estudar satisfatoriamente esse tema, Vaillant (2010) faz alguns esclarecimentos importantes: perdoar não significa compactuar com a impunidade ou com a injustiça, mas dar também oportunidade a quem erra de se arrepender e reparar o erro. Não tem o esquecimento como obrigação, pois faz parte do amadurecimento humano lembrar as falhas cometidas para não as repetir; haja vista os museus do Holocausto. No entanto, para ter a coragem de perdoar, o ser humano precisa sentir-se seguro e analisar cuidadosamente a situação pela qual está passando. Talvez por isso tenha sido mais fácil para os Estados Unidos do que para a França perdoar a Alemanha em um pós-guerra. O solo americano não ficou devastado como o dos franceses. Além do que, eles possuíam a bomba atômica para se garantir em uma posição mais "confortável".

Somente com os exemplos de Nelson Mandela, Martin Luther King Jr. e Gandhi, que manifestaram publicamente sua disponibilidade em perdoar seus opositores, é que as Ciências Sociais passaram a se dedicar ao estudo do perdão (VAILLANT, 2010). Talvez porque, para muitos, essa atitude demonstre fraqueza e isto não condiz com o espírito dominador do homem. É oportuno lembrar que Jesus em seu tempo não foi bem compreendido nem aceito no meio dos judeus, que esperavam por um salvador que os liderasse em uma luta contra os romanos que eram seus opositores. Muitos não acolheram sua mensagem de amor, de fraternidade, que não deveria ficar restrita ao povo de Israel, mas ser estendida a todos os seres humanos. Perdoar aos inimigos, era sem dúvida, para eles, um sinal de submissão, incompatível, portanto, com a ideia que tinham de si mesmos, de povo eleito de Deus, de escolhidos.

A pessoa que sofreu algum tipo de agressão física ou moral precisa ser ouvida, para que, de forma lenta e gradual, possa redirecionar seus sentimentos de raiva e vergonha; só assim será capaz de perdoar e finalmente de se curar. O perdão verdadeiro é um processo lento, demonstrável com atitudes e não somente verbalizado. Gera grande alegria para ambos: ofendido e ofensor. Transcende a esfera do pessoal para o sublime (VAILLANT, 2010).

Nós sempre procuramos justificativas para não perdoar a quem nos fez algum mal. Dizemos que a pessoa não merece nosso perdão, que ela não aprende nunca a lição, que se perdoarmos estaremos sendo feitos de bobos pelo outro, e muitas outras afirmações. Temos uma imensa facilidade para condenar os outros. Mas e se invertermos um pouco os papéis? E se a pessoa que precisa ser perdoada for eu? Que motivos Deus terá para perdoar minhas faltas, minhas fraquezas? Se aplicarmos a mesma linha de pensamento que usamos para julgar os outros, certamente não seremos absolvidos. A razão que Deus utiliza para nos perdoar é seu imenso amor e sua infinita misericórdia. Ele nos ama apesar de sermos fracos, pecadores e de recairmos muitas vezes nos mesmos erros. Jesus disse no Evangelho (Mt 5,38-48) que devemos perdoar setenta vezes sete (ou seja, inúmeras vezes, a mesma pessoa pelo mesmo erro, se for necessário). Ele não impõe limites para o perdão (NOGUEIRA; LEMOS, 2013).

Sem dúvida alguma é uma atitude divina, pois constitui-se em uma prova inestimável de amor pelo outro, pela vida, pelo Pai celestial. Perdoar é abrir o coração para o que temos de melhor: a compaixão, a caridade. Mas é também o verdadeiro caminho para a paz de espírito, para a felicidade enfim.

O altruísmo como fonte de saúde

Outro ponto a ser discutido nos trabalhos que relacionam a espiritualidade e a saúde é o altruísmo. Dentre os entrevistados, 65 do GE e 60 do GC disseram ter práticas altruístas, tais como: doação de roupas, dinheiro, visitação ou cuidados com doentes. Na segunda etapa, esses valores variaram para 63 e 52 respectivamente.

Diversos estudos na literatura apontam para a importância das atitudes de voluntariado para a redução da mortalidade por diversas causas, além de sugerirem que sejam direcionados estudos de religiosidade e espiritualidade pela avaliação de perdão, altruísmo e outras virtudes (GUIMARÃES; AVEZUM, 2007; KOENIG, 2012).

A religiosidade/espiritualidade pode influenciar positivamente a saúde das pessoas, na medida em que estimula o indivíduo para a doação de si mesmo e para a diminuição do egoísmo (LOTUFO NETO,

2003; KOENIG, 2012); enquanto o voluntariado pode ser usado como ferramenta de redução do estresse, servindo, portanto, na terapêutica complementar da HAS (SAVIOLI, 2007).

Arnold e colaboradores (2002) realizaram um estudo em *New Haven* com 21 participantes HIV positivos e usuários de drogas. Alguns indivíduos mencionaram o altruísmo como forma de espiritualidade; e esta, por sua vez, foi apontada como fonte de apoio para lidar com a soropositividade e com a dependência química entre os participantes da pesquisa.

Para sermos solidários com o outro não precisamos possuir necessariamente vínculo afetivo ou consanguíneo com ele. Basta deixar se manifestar em nós a compaixão. Ao que parece, este sentimento está diretamente ligado à evolução dos neurônios espelhos dos primatas que, segundo estudos científicos, seriam responsáveis pela inteligência emocional e pelo aprendizado por meio da imitação de um comportamento; o que nos faz nos compadecermos da dor de outra pessoa, que muitas vezes nem conhecemos (VAILLANT, 2010). Paiva (2007) lembra que a comunidade cristã prosperou, sobrevivendo, muitas vezes até em situações epidêmicas, graças ao espírito fraterno que estimulava os indivíduos a cuidar dos doentes que estavam fracos em tais ocasiões. O ser humano da atualidade, diz este autor, reúne em seu sistema de crenças dimensões antigas e modernas, vendo a saúde como bênção de Deus e a doença como sua punição; da mesma forma, a primeira também poderia ser o resultado apenas de uma boa herança genética, abundância em recursos econômicos e cuidados regulares preventivos, sem quaisquer relações com o sagrado.

Os seres humanos são essencialmente bons, falou o Dalai Lama. Mesmo sendo vítima de perseguições, ele continuou a acreditar na humanidade. Pena que a Ciência e o meio jornalístico não se interessam muito pelo espírito de compaixão que um homem possa ter por outro. É mais excitante ler notícias que falem de ódio e violência. Mas o fato é que em grandes tragédias, como por exemplo a queda das torres gêmeas, naquele fatídico 11 de setembro, o espírito de solidariedade aflora em nossos corações. Até mesmo em comunidades iranianas houve manifestações contrárias àquele ato terrorista. Mas a imprensa não mostrou isto (VAILLANT, 2010).

Concluindo o capítulo

Perdoar é um ato de misericórdia para com o irmão, que muitas vezes sofre com o fardo da culpa. Ao contrário do que alguns afirmam, não se faz necessário que o ofensor se arrependa para que o ofendido o perdoe. O perdão é uma atitude, uma decisão que demonstra maturidade, consciência das limitações humanas.

Por meio das atitudes desinteressadas de voluntariado, seja de forma financeira ou simplesmente visitando doentes, estamos demonstrando que nos importamos com a pessoa; temos compaixão por ela. E por mais incrível que isto possa parecer, o simples fato de alguém ir nos ver quando estamos sofrendo já nos conforta espiritualmente.

À medida que o indivíduo se doa, procurando ajudar outras pessoas que sofrem, ele encontra um novo sentido para sua vida, muitas vezes dando significado ao próprio sofrimento. Ajudando seu semelhante de forma desinteressada, o homem dá vazão à verdadeira espiritualidade, bem traduzida no mandamento de Cristo: "Amem seu próximo como a si mesmos".

11

A religião influenciando o estilo de vida

Introdução

Uma das respostas mais frequentes à questão por que a religiosidade faz bem à saúde tem sido a promoção de hábitos saudáveis de vida (SAAD; MASIERO; BATTISTELLA, 2001), tais como: ter uma dieta mais equilibrada, praticar atividade física, evitar o cigarro, o álcool e o sexo extraconjugal (SAVIOLI, 2006; LEVIN, 2011; KOENIG, 2012). A ciência tem demonstrado que a obesidade, o tabagismo e o sedentarismo são fatores de risco para as doenças cardiovasculares. As situações de estresse do cotidiano também levam ao adoecimento, pois exigem mais do coração; a pressão arterial sobe e são desencadeadas reações orgânicas do sistema nervoso autônomo (SAVIOLI, 2004). Outro motivo pelo qual o estresse pode influenciar negativamente a saúde é o estímulo a um maior consumo de bebidas alcóolicas, de cigarros, comportamento compulsivo em relação à comida e tendência à inércia física (KOENIG, 2012).

Alguns estudos epidemiológicos têm apontado que a religiosidade está associada positivamente a melhores indicadores de saúde, relacionando-se ao suporte social, capacidade de *coping* e hábitos de vida, com menor exposição aos agravos de saúde, tais como: comportamento sexual de risco, fumo, consumo de álcool e outras drogas, além da violação das leis (MOREIRA-ALMEIDA; STROPPA, 2009; LEVIN, 2011; KOENIG, 2012).

A dieta alimentar e a religiosidade

Inúmeros estudos demonstram a relação entre hábitos saudáveis na alimentação e boas condições de saúde. Também é notavelmente difundida a ideia de restrições alimentares na maioria das religiões. De modo que julguei importante questionar os participantes da pesquisa, que desenvolvi em Pedras de Fogo, sobre religiosidade e hipertensão e se eles estavam fazendo dieta prescrita por médico ou nutricionista.

A maior parte da amostra (97,8%) declarou ser afiliada a algum tipo de religião; realidade muito comum no Brasil. Mas, para minha surpresa, esses indivíduos, apesar de hipertensos, não seguiam em sua maioria normas dietéticas, correspondendo a 79,5% do GE e 77% do GC (etapa 1); e 78% do GE, contra 80% do GC (etapa 2). Alguns declararam não ter condição financeira para manter uma dieta balanceada, orientada pela nutricionista do município. Outros confessaram o uso da carne de charque na alimentação por ser mais barata e fazer parte do cardápio regional. Os que eram também diabéticos diziam abster-se de açúcar na maioria das vezes, cometendo alguns excessos em festas juninas e de fim de ano. Muitos pacientes estavam inclusive com o peso acima do normal para a altura; fatores estes que contribuem para a instalação e manutenção da hipertensão arterial.

Era de se esperar o contrário, ou seja, em uma amostra de pessoas hipertensas e com algum grau de religiosidade, inclusive onde boa parte declarou ir a igrejas ou templos no mínimo uma vez por semana, que o maior percentual fosse de indivíduos que adotassem normas dietéticas em sua alimentação diária. Mas, em conformidade com o estudo de Kim e Sobal (2004), acreditamos que a cultura do povo exerce forte interferência sobre os hábitos alimentares, apesar da religião adotada. O estudo aqui mencionado foi desenvolvido no Nordeste brasileiro, onde é extremamente comum o consumo de carnes salgadas (carnes de charque e de sol), bem como o uso de gordura animal sob a forma de tutano de boi e alguns tipos de linguiças suínas. Também é importante citar que não faz parte dos ensinamentos da Igreja Católica a exclusão de alimentos da dieta do fiel; e a maioria dos entrevistados (74,8%) se declarou pertencente a esta religião.

Beltrame, Orso, Gomes (2009), Borges, Cruz e Moura (2008) e o Ministério da Saúde (BRASIL, 2006) enfatizam a importância de medidas não medicamentosas no tratamento da HAS, entre as quais estaria uma dieta com menos gorduras, menos sódio, mais potássio e fibras, menos industrializada, com molhos mais naturais, menos álcool e doces (SAVIOLI, 2007).

Muitas vezes o indivíduo não cuida de sua alimentação, exagerando em alimentos não recomendáveis, mantendo a taxa de colesterol alta. A compulsão exagerada para comer é chamada pelos católicos de gula; esse pecado predispõe ao excesso de peso e consequentemente à HAS, às doenças cardíacas, ao diabetes e até a morte (SAVIOLI, 2004). Ao manter uma melhor relação com Deus, o indivíduo evita os chamados pecados capitais: gula, inveja, orgulho, luxúria; todos prejudiciais à saúde (HILL; PARGAMENT, 2003).

Borges, Cruz e Moura (2008) encontraram relação direta entre hipertensão e aumento de peso em ambos os sexos. Um estudo realizado por Costa e Machado (2010) constatou que a alimentação rica em sódio predispõe o aparecimento da hipertensão arterial já na infância, demonstrando a importância de um controle deste componente na alimentação desde cedo. Uma alimentação mais natural estimula os mecanismos orgânicos de quebra de moléculas mais complexas em outras menores. Com isso, o corpo trabalha mais, o que é benéfico, salutar (GLÖCKER, 2010).

De acordo com alguns estudos, não há uma perfeita clareza na relação entre religiosidade, dieta e atividade física. Porém seria esperado que uma maior religiosidade estivesse ligada a uma dieta mais saudável, mas isto nem sempre ocorre. Talvez porque o hábito alimentar incentivado pela religião seja determinado, na verdade, pela cultura do povo que o adota (Kim e Sobal, 2004).

A crença religiosa pode influenciar na escolha dietética dos pacientes, o que é de grande importância para a recuperação dos doentes (KOENIG, 2012). Foi diante dessas expectativas que Wettstein (2010) realizou sua pesquisa de mestrado em Ciências Médicas na Universidade Federal do Rio Grande do Sul. Neste estudo, foram encontradas restrições alimentares por parte de adventistas do sétimo dia, quanto a certos tipos de carne, ovos, bebidas alcoólicas e cafeína. Das testemunhas de Jeová, quanto aos alimentos com sangue. Os metodistas relataram apenas restrições quanto a bebidas alcoólicas e os umbandistas disseram ter restrição quanto ao arroz com galinha para seus líderes, além de outros exemplos mencionados no estudo por várias denominações religiosas.

De uma forma geral, indivíduos que seguem os preceitos de determinada religião se esforçam mais para não cometerem maiores excessos alimentares e na ingestão de bebidas alcoólicas (KOENIG, 2011b; KOENIG, 2012; LEVIN, 2011), bem como tentam ingerir produtos mais naturalistas, com menor teor de agrotóxicos e menos carne vermelha (LEVIN, 2011).

O efeito protetor da religiosidade sobre o uso de substâncias lícitas e ilícitas

O indivíduo contemporâneo possui compulsão em suas mais variadas modalidades: por drogas de todos os tipos, incluindo o tabaco, o álcool e os psicotrópicos; por comida e compras desenfreadas. Ele parece movido sempre em busca de algo inatingível que impera sobre seu "eu" psíquico, em uma tentativa inútil de preencher o imenso vazio que se instalou em seu interior com coisas, remédios para dormir, substâncias pesadas e proibidas ou permitidas (cigarro e bebida). Como consequência, temos na saúde pública um enorme problema: combater o tabagismo, o alcoolismo, as toxicomanias, a obesidade, a bulimia, a anorexia. A compulsão deu origem a um novo templo da secularidade: o *shopping center*, onde as pessoas imitam os fiéis em peregrinação (BIRMAN, 2012).

Ainda sobre o estudo que desenvolvi na zona da mata paraibana, com indivíduos portadores de hipertensão arterial sistêmica, encontrei um aspecto positivo quanto aos hábitos de vida dessa população. A pesquisa verificou que apenas uma minoria afirmou ser fumante (6,5%). Os outros 93,5% se reconheceram como não tabagistas em toda a amostra estudada (PEREIRA, 2013).

Ocorre menor incidência de tabagismo entre pessoas religiosas. Essa opinião é compartilhada por autores como Strawbridge et. al. (1997), Levin (2011), Moreira-Almeida e Stroppa, (2009). Como foi mencionado por Abdala (2009), além de promover estilos de vida mais saudáveis, a religiosidade ajuda na adesão ao tratamento, principalmente para aqueles que estão se reabilitando do uso abusivo de substâncias.

Ao estudar a influência da religiosidade sobre o uso de drogas em uma população de adolescentes que estudavam em cinco escolas na cidade de Campinas, Dalgalarrondo e colaboradores (2004) encontraram um menor envolvimento com tais substâncias, entre aqueles que se declararam mais religiosos, e afirmaram ter tido uma educação com embasamento religioso na infância. Uma revisão feita por Sanchez e Nappo (2007) também concluiu que indivíduos religiosos apresentam menos hábitos danosos à saúde, como o uso de substâncias lícitas ou ilícitas que provocam dependência; e ainda que esses indivíduos possuiriam mais chance de abandonar vícios do que aqueles não religiosos.

A vivência da religiosidade relaciona-se à prevenção da dependência química, estando ainda ligada ao tratamento e reabilitação. As normas regidas pelas entidades religiosas são bastante rígidas, condenando o uso de drogas. A busca constante pelo transcendente nas práticas religiosas é um estímulo constante no processo de reforma interior e busca de superação dos limites, levando a uma maior aderência ao tratamento para a dependência química (LEITE; SEMINOTTI, 2013).

Koenig (2011b) menciona que dos 278 estudos revisados por ele, cujo foco era o alcoolismo e a religião, 240 encontraram menor abuso de álcool entre os mais religiosos. Padrão semelhante este cientista encontrou em outros 185 estudos que abordavam o uso de drogas, em que 155 apontavam redução na frequência desse problema entre os que praticavam alguma atividade religiosa. Também foi encontrada em sua revisão uma menor incidência de tabagismo entre os indivíduos mais religiosos; em 135 pesquisas relacionadas a esse tema, 122 confirmam tal ideia.

Lotufo Neto (2003) atribui a redução em tais práticas autodestrutivas aos ensinamentos morais da religião. Muitos indivíduos da pesquisa desenvolvida por Arnold et al. (2002) relataram que não conseguiriam resistir às drogas se não tivessem fé em Deus, apontando a espiritualidade como meio eficaz no tratamento da dependência química.

A religiosidade e o hábito de fazer exercícios

Um terceiro aspecto a respeito da relação entre religiosidade e hábitos saudáveis de vida que abordei em minha pesquisa foi a prática regular de uma atividade física por parte dos entrevistados, tanto no grupo controle quanto no grupo de estudo. Os resultados foram os seguintes: na primeira etapa do estudo 66% do GE e 76% do GC afirmaram não estar fazendo nenhum tipo de exercício. Na segunda etapa do estudo verificamos 67% de sedentários no GE e 71% no GC. O percentual de indivíduos que não se exercitavam continuou sendo maior no GC. É importante que se diga que o município de Pedras de Fogo contava na época com profissionais de Educação Física e de Fisioterapia envolvidos em um programa de estímulo à prática de exercícios semanais; portanto seria de se esperar um grande percentual de indivíduos engajados em algum tipo de atividade física (PEREIRA, 2013).

Uma provável justificativa para este fato foi o número de participantes que tinham queixa de algum tipo de dor óssea, por patologias como artrose, osteoporose e problemas na coluna, resultando em limitação em sua capacidade de se movimentar; o que pode também ter interferido na prática religiosa desses indivíduos.

De acordo com as VI Diretrizes Brasileiras de Hipertensão, um programa de treinamento físico aeróbico pode reduzir os níveis de PA, principalmente nos indivíduos classificados nos primeiros estágios da hipertensão. Os exercícios isotônicos devem ser praticados até uma frequência cardíaca (FC) em torno de 60 a 70% da máxima do indivíduo, nas atividades tidas como leves; para as atividades moderadas deve-se manter a FC em torno de 70 a 80% da máxima. Esta é considerada a ideal para a prevenção e tratamento da hipertensão arterial. Nas atividades vigorosas a FC deve atingir valores superiores a 80% da FC máxima ou de pico (SOCIEDADE BRASILEIRA DE CARDIOLOGIA, 2010).

Quanto aos exercícios de resistência, a recomendação da Sociedade Brasileira de Cardiologia é de que sejam realizados de uma a três séries, com oito a 15 repetições, na frequência de duas a três vezes semanais, até estado de fadiga moderada. É importante lembrar que em indivíduos hipertensos não se deve iniciar treinamentos físicos quando a PA estiver com níveis superiores a 160/105 de mmHg. Para qualquer pessoa, mesmo que sabidamente normotensa, recomenda-se a interrupção dos exercícios na ocorrência de quaisquer sintomas.

O sedentarismo é um importante fator de risco para as doenças cardiovasculares. A atividade física, ao contrário, ajuda a prevenir doenças tais como o diabetes, a hipertensão, certos tipos de câncer, a osteoporose, a obesidade, além de contribuir para a melhora do humor, reduzindo a depressão (SAVIOLI, 2004).

Em revisão feita por Medina et al. (2010), confirmam-se os efeitos benéficos da atividade física tanto na prevenção, quanto no controle da hipertensão; sobretudo quando composta de exercícios aeróbicos, no mínimo por 30 minutos, durante cinco dias na semana. Mesmo os indivíduos classificados como sedentários podem ter uma redução clinicamente significativa em sua pressão arterial, por meio de um aumento relativamente modesto de sua atividade física; podendo até haver uma diminuição ou suspensão no uso dos anti-hipertensivos (MONTEIRO; SOBRAL FILHO, 2004). Gonçalves et al. (2007) também recomenda a prática de exercícios físicos no tratamento da hipertensão arterial.

Kim e Sobal (2004) encontraram relação diretamente proporcional entre a religiosidade e a prática de atividade física, tanto em homens quanto em mulheres. Koenig (2011b) encontrou esta mesma relação em 68 % dos estudos por ele citados.

Um estudo transversal desenvolvido com servidores da Universidade de Brasília com idade superior a 40 anos encontrou maior prevalência de hipertensão, tabagismo, uso do álcool e peso acima do normal em homens. Já o sedentarismo foi encontrado predominantemente nas mulheres. Estes resultados apontam para a necessidade de adoção de medidas preventivas para doenças cardiovasculares direcionadas àquela população (CONCEIÇÃO, 2006).

Outro aspecto a ser considerado na atualidade é a preocupação com o corpo perfeito, cometendo-se excessos em nome da saúde e da imortalidade. Então, quando não cumprimos com os ditames da sociedade perfeccionista e materialista em que vivemos, sentimo-nos culpados. Considerando o corpo um bem dos mais preciosos, os sujeitos contemporâneos buscam as academias de ginástica de forma semelhante à dos fiéis em seus templos, onde a fonte de juventude eterna é o ideal comungado por eles. O envelhecimento é para muitos uma enfermidade, e a morte seria o grande mal a ser exorcizado da humanidade a qualquer custo (BIRMAN,2012).

Concluindo o capítulo

Desde os primórdios da história, a Religião tem sido um norteador do comportamento humano, delimitando atitudes em relação à comida, bebida, sexo e às formas de se relacionar com o mundo e com os demais seres da espécie. Para viver em sociedade, o homem precisa renunciar a alguns instintos egoístas que o levariam ao isolamento e à morte mais rapidamente. As regras impostas nas afiliações religiosas o ajudam a persistir na observância de leis de convivência social, na maioria das culturas, excetuando-se os comportamentos fundamentalistas, extremistas e discriminatórios, que incentivam a violência.

O corpo físico deve ser bem cuidado, já que nele habita o espírito. Portanto não é de bom tom ser negligente com a própria saúde, abusando dos alimentos e do álcool; nem tampouco prejudicar-se pelo uso de substâncias nocivas, como drogas alucinógenas e o tabaco. Boa parte das pesquisas científicas, algumas das quais aqui mencionadas, expressam claramente o papel moderador que a Religião exerce sobre os indivíduos, sendo portanto, benéfica à saúde.

12

A religiosidade e o humor: suas relações com a saúde

Introdução

São as emoções positivas (amor, esperança, perdão, alegria, compaixão, fé ou confiança, reverência e gratidão), derivadas de nosso sistema límbico e comuns a toda grande doutrina religiosa, que nos transformam em indivíduos espiritualizados (VAILLANT, 2010). Muitos cientistas vêm demonstrando que existe íntima relação entre fatores psicológicos e a fisiologia do corpo humano. Tal influência se manifestaria de forma positiva, quando a mente se ocupasse de bons pensamentos; podendo ainda predispor a doenças, pela redução na resposta imunológica por ocasião das emoções negativas. As funções endócrina e cardiovascular também sofrem modificação importante de acordo com o nível de estresse psicológico a que o indivíduo esteja submetido (KOENIG, 2012).

A fé e os sistemas do corpo humano

A Neurociência tenta explicar como a mente interfere no funcionamento dos sistemas nervoso, endócrino e imune. De acordo com este ramo da Ciência, a fé geraria expectativas positivas, ativando a mesma região cerebral que os placebos; o que determinaria a produção de hormônios e células do sistema imune, tornando possível a cura. Esses três sistemas se comunicam por meio do eixo Hipotálamo Pituitária Adrenal (HPA), envolvendo a interação entre estas estruturas, exacerbando ou suprimindo a resposta imunológica. Uma vez ativado o córtex pré-frontal, aumenta-se o fluxo de dopamina, que está associada ao bom humor e à modulação emocional. Também são aumentados os níveis dos opioides endógenos, responsáveis ainda por uma sensação de bem-estar. Ocorre que, para que sejam deflagrados tais efeitos, faz-se necessário um alto grau de certeza por parte do indivíduo, ou seja, faz-se necessária a fé (BALESTIERI, 2009). Esta, de forma semelhante ao humor, permite ao ser humano que ele encare o sofrimento sem desespero, reduzindo a ansiedade trazida pela dúvida (VAILLANT, 2010).

Tais colocações me lembram certo depoimento que ouvi de um ateu, falando de seu desespero ao deparar-se com a morte de seu pai, pois ele não acreditava que poderia reencontrá-lo um dia. Tive por ele naquele momento uma grande compaixão. Senti-me impotente por não poder ajudá-lo, transmitindo-lhe um pouco de minha fé. Essa emoção ou sentimento não se transmite; é um dom de Deus. Mas os que a desejam podem pedi-la ao Pai. E aqueles que julgam tê-la devem tentar aumentá-la a cada dia, para não correr o risco de perdê-la diante dos obstáculos da vida.

Diante dos inúmeros trabalhos científicos que relacionam o tipo de humor do indivíduo com suas condições de saúde, abordei essa questão com os participantes de minha pesquisa, com hipertensos (PEREIRA, 2013), obtendo os seguintes resultados: entre os 73 pacientes do GE, 59 disseram ser alegres na maior parte do tempo, 10 classificaram-se como tristes e quatro se declararam irritados na primeira etapa da pesquisa. Esse mesmo grupo em etapa subsequente apresentou 62 pessoas que se consideraram alegres, sete que se disseram tristes, enquanto os outros quatro eram irritados. Aumentou o percentual de indivíduos alegres no grupo de estudo e reduziu o de pessoas tristes. O número de irritados permaneceu inalterado.

Entre 66 pessoas do GC ocorreu situação inversa: o número de pessoas alegres diminuiu de 45 para 40, o de pessoas tristes foi de 12 para 16, enquanto aqueles com humor irritadiço passaram de nove para 10 (Figura 1).

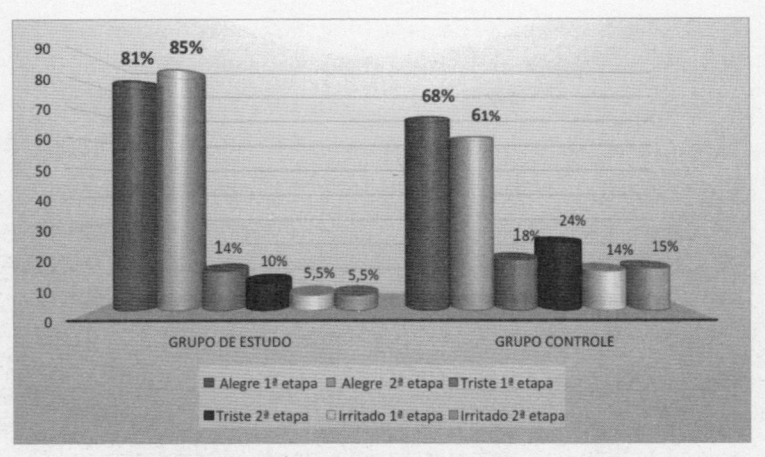

Figura 1: Distribuição da amostra de pessoas hipertensas quanto ao humor. Pedras de Fogo – PB. Dezembro de 2011 a dezembro de 2012. Primeira e segunda etapa.

Essa amostra, composta em sua maioria por pessoas que dão muita importância a Deus, estando em grande parte afiliadas a uma religião, também demonstrou estarem satisfeitas com a vida na maior parte do tempo, apesar dos problemas com a saúde e das limitações financeiras. Um dos participantes de nossa amostra era deficiente visual, morava sozinho e mesmo assim demonstrava um humor alegre, na maior parte do tempo. Tinha um coração aberto para o perdão e para interceder pelos outros em suas orações. Mesmo sem ter uma boa condição financeira, era generoso com os que lhe pediam algum tipo de auxílio. Sempre nos dirigia um sorriso, apesar de todas as dificuldades em sua vida. Como explicar isso a não ser por sua fé em Deus?

As emoções positivas guardam íntima relação com as áreas cerebrais frontais esquerdas, enquanto o córtex frontal direito está ligado às emoções negativas ou pessimistas. A raiva gera no ser humano um impulso para atacar o outro, sendo uma emoção das mais primitivas, provavelmente a única encontrada nos répteis. Outra emoção tipicamente negativa é a tristeza. Esta pode conduzir à depressão, que por sua vez reduz os estímulos nervosos. Já a alegria vem acompanhada de estímulo para gritar, dançar e rir, assemelhando-se às reações desencadeadas pelo amor, podendo deflagrar maior salivação, rubor e calor. O sistema límbico controla as reações entre o corpo e o meio externo, bem como o sistema autônomo e endócrino. Dessa forma, as emoções mais intensas são sempre acompanhadas de uma grande atividade no sistema límbico (MARINO Jr., 2005).

As influências da vida moderna sobre o humor e a saúde

Na contemporaneidade, o sujeito vê-se imerso em uma variação muito ampla de seu humor, a distimia; indo dos excessos da hiperatividade à angústia e depressão. Ocorre no decorrer de sua vida uma verdadeira dissociação de seu eu, levando-o a um grande vazio. O indivíduo sente-se muitas vezes impotente diante dos acontecimentos que não consegue controlar, apesar de sua ansiedade. O medo da morte assume proporções absurdas, ao que chamamos de pânico. O ponto máximo desse sofrimento é a dissolução do psiquismo. A pessoa com tal problema não consegue dar conta das variações de humor, representando uma das modalidades de despossessão de si mesmo, mas não superior em gravidade à doença depressiva. Aqui o doente não encontra sentido na própria vida, entregando-se totalmente à apatia. Uma das causas da depressão é o sofrimento com as relações de trabalho, em que ocorre um desmapeamento, obrigando o indivíduo a moldar-se totalmente às condições do mercado, anulando-se como pessoa. Ocorre aqui o desencantamento com a própria existência, a corrosão do eu e uma enorme fadiga (BIRMAN, 2012).

Em minha prática clínica recordo-me de dois casos que servem de exemplo para o que foi dito acima: no primeiro, uma colega de profissão confessou-me que por muitas vezes corria para o banheiro, no meio do expediente, para chorar às escondidas. No segundo, uma paciente minha relatou-me não dormir à noite, pensando que teria de trabalhar no dia seguinte. Não tinha apetite, estava perdendo peso, sentia-se extremamente cansada. Em uma de suas consultas, disse-me: "odeio meu trabalho. Já pensei até em me matar lá mesmo, no banheiro. Nem consigo almoçar direito quando estou lá".

A rotina massacrante do trabalho, do trânsito e das obrigações domésticas ocupam todo o tempo do indivíduo, não lhe restando tempo para o lazer, para estudar, praticar um esporte, fazer uma caminhada, ler um livro. "Afinal, temos de ser produtivos", diz o sistema capitalista e globalizado, que cobra eficiência a qualquer custo. Com isso, estão surgindo cada vez mais trabalhadores doentes, nos mais diversos cargos e carreiras: médicos, dentistas, advogados, professores, administradores, empregados domésticos, vigilantes, balconistas, operadores de telemarketing, motoristas de ônibus e muitos outros. Não importa o salário ou a posição social: a sociedade está gerando sujeitos doentes, depressivos, angustiados, alguns à beira do suicídio; simplesmente porque não aguentam mais a carga das responsabilidades ou a monotonia em seus empregos. Birman (2012) chama atenção para algo que para muitos pode parecer supérfluo, mas é de extrema importância para a saúde mental das pessoas: o homem moderno, ou pós-moderno, está deixando de sonhar. Seus desejos, anseios por novas conquistas estão sendo sufocados pela dor do dia a dia. Essa dor que lhe é peculiarmente sentida, quando compartilhada com o outro, é vista como sofrimento. Quando o sujeito sente-se inteiramente só com sua dor, sem abertura para outros que possam lhe ajudar, ele fica em completo desalento. Nas várias formas de dor física ou psíquica que o ser humano experimenta em sua vida, ele pode dar vazão à intolerância, à irritabilidade, à violência ou perder as forças, a autoestima, sucumbindo ao sofrimento de forma solitária.

O indivíduo moderno assemelha-se às vezes a uma bomba relógio, sempre prestes a explodir. Mal consegue conter-se diante do turbilhão de emoções que lhe corroem o íntimo. Diante disso a irritabilidade passa a ser sua principal marca de personalidade, desencadeando muitas vezes um comportamento violento desproporcional ao fator desencadeante. Aos poucos ele está perdendo sua capacidade de dialogar, de negociar pacificamente com os outros. Parece-lhe que não há outra forma de atingir seu objetivo, a não ser usando a força. A crueldade está se banalizando na sociedade atual, assumindo proporções que julgávamos incompatíveis com um mundo desenvolvido e democrático (BIRMAN, 2012).

Uma prova disso são os inúmeros casos a que assistimos na televisão todos os dias, com crianças encontradas em malas, jogadas de edifícios ou em rios, com jovens que matam seus pais, irmãos, avós, colegas de colégio. Simples discussões entre vizinhos ou no trânsito, por motivos considerados fúteis, acabam em assassinatos. Parece que estão todos loucos, dizem alguns. Autores como Moreira-Almeida, Koenig e Lotufo-Neto (2006), após revisarem diversos estudos, apontam a religiosidade como forma de reduzir a criminalidade. Mas os efeitos dessa sobrecarga emocional não se manifestam apenas por meio de comportamentos explosivos ou inadequados para a sociedade, ela também age de forma silenciosa, minando o funcionamento orgânico, conforme veremos a seguir.

As emoções e a saúde

Goleman (1999) fala sobre a influência negativa que sentimentos como a raiva e a tristeza têm sobre a saúde; da mesma forma que enaltece a alegria, como estimulante do sistema imunológico, melhorando o prognóstico de doenças como o câncer. Ele relaciona inclusive o humor raivoso com uma maior incidência de doenças cardíacas e mortes prematuras. O humor deprimido por sua vez parece estar relacionado com maior tendência no desenvolvimento de câncer.

Pessoas com humor raivoso são mais propensas à hipertensão arterial; ao contrário das mais alegres, que serão predominantemente normotensas. Não é fácil controlar um temperamento explosivo. A prática religiosa, por intermédio da reza do terço, da comunhão, de leituras bíblicas e do sacramento da penitência, ajuda a moldar esse traço da personalidade. A tristeza duradoura ou depressão estão intimamente ligadas a complicações cardiovasculares, podendo duplicar o risco de morte, quando associadas à doença coronariana em pacientes de 40 a 60 anos (SAVIOLI, 2004).

Ao alegrar-se, o indivíduo reduz o fluxo sanguíneo para o cérebro, deixando-o momentaneamente em repouso, o que é necessário nos processos de cura. Os achados científicos que ligam o humor são relacionados à boa saúde, como por exemplo: a diminuição do cortisol; o aumento dos linfócitos T e das células Natural Killer (NK); o aumento de imunoglobulina salivar A (Ig A); aumento e posterior redução da frequência cardíaca (FC), da frequência respiratória (FR) e da pressão arterial (PA). O humor mostra que, na verdade, as barreiras entre nós e nossos semelhantes não existem; bem como entre nós e o Absoluto.

Tanto o bom humor quanto a meditação deixam que as coisas fluam de uma forma mais natural (DOSSEY, 2012).

O riso promove um alívio das tensões e relaxamento, sendo inclusive uma das estratégias de redução de estresse que pode ser facilmente empregada por todos. É salutar procurar ver o lado bom das coisas; e, como forma de atingir mais facilmente a satisfação, devem-se suprimir algumas vontades. Para ter bom humor os pensamentos tristes e pessimistas devem ser suprimidos. O simples ato de rir estimula a produção de glóbulos brancos, desobstrui o aparelho respiratório, estimula o aparelho digestivo, descarrega energias. Constitui um verdadeiro escape emocional, trazendo tranquilidade em momentos difíceis, servindo para aproximar as pessoas, afastar a desesperança e o desespero. Rir é um dom precioso e gratuito, podendo ser amplamente usado na terapêutica (YEPES, 2003).

Alguns pesquisadores afirmam que o ato de sorrir, mesmo sem vontade, fortalece as conexões neurais e afastam as desordens de humor, sendo contagiante em qualquer cultura. O riso promove uma sensação de segurança; sentimo-nos mais confortáveis quando cercados por pessoas sorridentes. É recomendável para a saúde, sobretudo, quando nos deparamos com doenças crônicas e graves (NEWBERG; WALDMAN, 2009).

A religiosidade e sua influência sobre o humor

A alegria obtida por fiéis em certos encontros religiosos constitui verdadeiros milagres. De que outra forma alguém pode explicar um paralítico que, apesar de continuar em sua condição limitada de deficiente, descobre subitamente um novo sentido para sua vida e então começa a sorrir? Esse é mais um evento que a ciência não consegue mensurar (LÉO, 2004). O exercício da espiritualidade de baixo leva o indivíduo a encarar a vida com mais bom humor, na medida em que aceita os outros com suas falhas, irritando-se menos com eles; dessa forma a situação adversa é encarada de forma mais relativa, por intermédio de Deus (GRÜN; DUFNER, 2013).

Esse sentimento é expresso na palavra aleluia, que em várias línguas pode ser interpretada como interconexão com um poder maior; é muito importante para o ser humano e mesmo assim tem sido ignorado por figuras ilustres do mundo científico como Sigmund Freud. Ainda não se conseguiu localizar uma área cerebral específica para a alegria, como ocorreu com o medo, prazer, tristeza ou raiva. Trata-se de algo bem mais complexo; talvez porque necessitemos nos conectar com outros seres para nos sentirmos alegres e também porque envolva muitas áreas do corpo. Pode ser considerado um sentimento visceral, ao passo que a felicidade envolveria mais as funções cognitivas. Enquanto na felicidade o ser humano evita a dor, na alegria ele a abraça. Estar feliz é poder sorrir de algo engraçado; mas estar alegre é algo mais. É rir com a alma, cabendo aí espaço para o sofrimento (VAILLANT, 2010).

Talvez por isso Santa Rita de Cássia tenha desejado tanto compartilhar das dores do Cristo crucificado. Ambos, Jesus e Rita, foram alegres até o último suspiro. Não poderíamos dizer que morreram tristes, mesmo agonizantes em sofrimento físico, pois estavam em conexão absoluta com Deus. Talvez muitos de nós já tenhamos nos deparado com indivíduos extremamente alegres, apesar de sua condição de deficientes, de doentes acamados ou de viver na pobreza. Ao passo que outros desfrutam de saúde e riquezas, mas são criaturas miseravelmente tristes. Lembro-me bem de um repórter perguntando a uma ganhadora de prêmio milionário das loterias se ela se considerava mais alegre do que no passado, já que se tornara rica. Ela respondeu que não, pois agora tinha também grandes preocupações.

Ambas, felicidade e alegria, podem ter diferentes significados, assim como desencadeiam diferentes reações no organismo. A primeira produz taquicardia e muitas vezes é fugaz, uma satisfação momentânea, como o encontro amoroso às escondidas; enquanto a segunda pode acalmar os batimentos cardíacos e tem ação duradoura, como simplesmente contemplar o nascer do sol ou o rosto da pessoa amada (VAILLANT, 2010).

Uma revisão feita por Yeung e Chan (2007) procurou identificar a influência da religiosidade na vida de pessoas consideradas vulneráveis, tais como idosos, doentes debilitados e deficientes, encontrando melhor saúde mental nos indivíduos com prática religiosa mais evidente. Segundo esses pesquisadores, pessoas religiosas encaram mais positivamente as dificuldades da vida, contam com maior apoio social e são mais esperançosas. Para elas, o amor e a misericórdia divinos dão força nas adversidades, refletindo-se em sua saúde.

Levin (2011) menciona estudos em que foi verificado um maior nível de satisfação com a vida ou de felicidade nos indivíduos que praticavam uma religião. Em 1994, ele realizou uma revisão desses trabalhos para o *Nathional Institutes of Health* contendo 73 deles, nos quais eram abordados os efeitos das crenças religiosas sobre a saúde. De acordo com suas convicções, o fato de a pessoa acreditar em vida após a morte, não ter dúvidas quanto a suas crenças religiosas ou pertencer à determinada religião está diretamente relacionado a um maior índice de satisfação com a vida.

Koenig (2011b) por sua vez encontrou 256 estudos quantitativos que relacionaram o exercício da religiosidade/espiritualidade com uma maior satisfação com a vida e maior bem-estar. Nessas pesquisas o otimismo, uma boa imagem de si mesmo, a esperança e um propósito na vida foram apontados como preditivos de melhor saúde mental.

Entender a alegria é fundamental para desvendar os mistérios da vida humana. Ela, assim como o amor, a esperança, a compaixão e o perdão estão intimamente ligados ao sofrimento. É por meio da despedida que celebramos o reencontro; do mal cometido se experimenta o perdão. Após o cativeiro se saboreia a liberdade. Velando um ente querido que se foi, abre-se espaço para rever amigos e familiares distantes, recorda-se dos momentos felizes daquela pessoa, enquanto ela estava entre os seus (Vaillant, 2010).

Por meio da morte de Cristo, morte de cruz, tão vergonhosa para seus contemporâneos, podemos desfrutar da verdadeira alegria que é a ressurreição. Assim em cada domingo de Páscoa, revivemos sua vitória sobre aquilo que o ser humano mais teme: a morte. Então todos os cristãos podem dizer: "Cristo ressuscitou. Aleluia! Venceu a morte com amor, aleluia".

As emoções podem ser condicionadas, transformadas. Assim como uma tela em branco pode ser modificada, nossos sentimentos podem ser mudados sem que mudemos nossa essência como pessoa. É conveniente para a boa saúde substituir sentimentos de raiva e ciúme pela compaixão, por exemplo. O indivíduo precisa ter objetivos, motivações para sua existência, na eterna busca pela felicidade. Mas esse estado de vida não é encontrado de forma duradoura nos fatores externos, mas na sabedoria, na compaixão pelo semelhante e no altruísmo (Lins, 2010).

Concluindo o capítulo

Como vimos, os trabalhos científicos apontam para a importância da alegria e do bom humor para manter a saúde em perfeito equilíbrio. Mas no mundo em que vivemos, onde o que impera é a competitividade, a rivalidade, a opressão nos ambientes de trabalho, o livro ou o relógio de ponto, o chefe que sempre lhe pede mais, fica difícil não sucumbir à tristeza, à indiferença, ao desencanto. Não importa se estamos com problemas em casa, estamos doentes, tristes ou se tivemos uma péssima noite de sono. No dia seguinte, teremos de cumprir com nossas obrigações; o profissionalismo deve imperar sempre.

Também não importa que o trabalho seja monótono, chato ou perigoso; a sociedade nos cobra que estejamos sempre trabalhando. De preferência, que não nos aposentemos nunca; temos de ser produtivos, do contrário, perderemos o respeito das pessoas, seremos preguiçosos. O mundo de hoje, cada vez mais secular, está esquecendo como é ser humano. Os estabelecimentos comerciais não respeitam os domingos, dias santos. Afinal o "Brasil é um país laico, não deveria sequer ter feriados religiosos", dizem os políticos e intelectuais opressores. Estamos sendo cada dia mais privados de conviver com nossos filhos, de admirar um pôr do sol, de molhar os pés na areia da praia, de caminhar e escutar o canto dos pássaros. A solução para que as coisas melhorem é rezar mesmo e muito. Outra alternativa barata para suportar toda essa carga negativa é assistir a filmes e programas que nos façam rir e nos tirem da mesmice.

13

O homem como ser espiritual

Introdução

O mundo ocidental tem colocado o cotidiano humano distante da esfera do sagrado; realidade esta que vem se modificando em países como o Brasil, caracterizado pelo sincretismo, onde as pessoas produzem sua própria rede de símbolos. Um dos aspectos que merecem ser destacados é a humanização dos partos, incentivada pelo Sistema Único de Saúde, graças à persistência de algumas mulheres que teimam em parir seus filhos de modo natural e à dedicação de certos profissionais que encaram o nascimento como um momento sagrado (Nogueira, 2006). Esta autora resgata em seu trabalho a conexão divina que ocorre entre a parturiente e seu bebê na hora em que este vem ao mundo; mostra por meio de diversos relatos que o parto é um momento simbólico, espiritual, único para cada ser. É comungando com este pensamento que apresentamos neste capítulo a composição do ser humano em seu todo, não somente do ponto de vista orgânico ou cognitivo, mas levando-se em conta seu caráter transcendental: imagem e semelhança de Deus.

O corpo humano e o sagrado

O corpo humano apresenta uma unidade, realidade essencial própria de cada pessoa, além de sua matéria. O corpo é um santuário, um templo e não um mero conjunto de órgãos. Ele nos fala por meio de vários sinais: do cansaço, da temperatura, da pressão arterial, da frequência cardíaca. A importância de cuidar do corpo é o centro da ciência médica, mas também aparece nos textos bíblicos sob uma vasta simbologia. Os rituais religiosos muitas vezes trazem essa simbologia. No batizado católico, por exemplo, os cinco sentidos da criança são abençoados separadamente e sua cabeça é tocada sete vezes durante a cerimônia (MIRANDA, 2012).

O autor acima citado divide o corpo humano em seus vários órgãos de maneira simbólica, organizando-o de baixo para cima, comparando-o a uma árvore. Os pés permitem ao homem manter sua verticalidade e o contato com a mãe terra, representando a força da alma. De acordo com a tradição bíblica, os pés se assemelham a uma semente, a um feto encurvado sobre si mesmo. A medicina chinesa reconhece na estrutura anatômica do pé vários pontos relacionados aos órgãos do corpo humano, é como se a totalidade do homem estivesse resumida nos pés. Muitas vezes, negligenciamos essa parte de nosso corpo, ignorando calosidades, deformidades e outros incômodos. Esquecemo-nos de que, por trás de simples sintomas, escondem-se grandes problemas, comprometendo a saúde como um todo. A importância dos pés pode ser retratada em diversas passagens bíblicas. Dois exemplos bem clássicos são encontrados no Evangelho de João (13,14), em que Jesus lavou os pés dos discípulos, e ainda no de Lucas (7,37-38), quando a pecadora lavou os pés de Jesus com lágrimas, secando-os em seguida com seus cabelos. Mais interessante ainda é a passagem da crucifixão (Jo 19 25), em que Maria permanece de pé junto à cruz, sinalizando que toda a humanidade deverá permanecer sem se curvar diante do pecado e do mal, pois tudo foi consumado por Jesus em seu sacrifício perfeito.

As pernas por sua vez são verdadeiras colunas de sustentação, assemelhando-se a galhos de uma árvore. Permitem ao homem explorar o mundo a seu redor, manter o corpo na vertical, bem como estabelecer vínculos, acompanhar Cristo, mantendo-se sujeito de sua própria vida, negando-se à submissão. Ao contrário dos dois ladrões que estavam a seu lado, Jesus não teve suas pernas quebradas, conforme predito nos textos bíblicos (Sl, 33,21). Os joelhos simbolizam a força e a autoridade do homem. Dessa forma, dobrá-los é humilhar-se, guardando íntima relação com a religiosidade do indivíduo, quando diante da divindade. Estar sobre os joelhos de alguém na tradição hebraica significa ter relação filial com ele. As coxas guardam relação com o amadurecimento do ser humano, inclusive sexual. Também representam sua força, quando formadas por um fêmur íntegro e saudável, mas podem significar fragilidade e proximidade com a morte, quando esse osso enfraquece e sofre uma fratura.

O homem abre-se ao exterior por meio de seu plexo urogenital, estabelecendo a capacidade de reproduzir-se. Também é nesta porção do organismo que o sangue é filtrado e as excretas são eliminadas. Os órgãos sexuais são sagrados e, quando unidos, formam com suas estruturas (dois testículos e um pênis; e os quatro lábios da vagina, dois internos e dois externos) a perfeição do número sete. Entre os judeus ainda hoje os meninos são circuncidados, como forma de manter com Deus uma aliança estabelecida no passado. Outra parte do corpo intimamente ligada ao erotismo é o umbigo, "Tabor" em hebraico, monte no qual se deu a transfiguração de Cristo. Essa cicatriz de forma circular lembra a relação que todo ser humano possui, por meio de seu cordão umbilical, com a figura materna. Relação que também existiu entre Jesus e Maria.

Como parte integrante desse plexo, os rins assemelham-se aos pés e, por conseguinte, ao germe, semente que origina a vida. No interior desse órgão, os canais e canalículos transportam os fluidos orgânicos e a água, elemento da natureza que simboliza a própria vida. Na passagem com a samaritana, Jesus, à beira de um poço, pede água para beber, quando na verdade, Ele possuía a fonte da vida. Os Evangelhos e o Antigo Testamento estão repletos de versículos que mencionam a água, como na passagem dos judeus guiados por Moisés, pelo mar vermelho, fugindo dos egípcios. E ainda o primeiro milagre de Jesus, em Caná na Galileia, quando a água foi transformada em vinho. Ainda temos seu batismo no rio Jordão e o instante após sua morte, quando de seu lado transpassado por uma lança jorrou sangue e água.

O estômago, órgão responsável por parte da digestão dos alimentos, sofre na modernidade com a pressa ao ingeri-los e por ter de "engolir" muitas coisas maléficas no cotidiano. Guarda íntima relação com o elemento terra, pois dela é tirado o alimento. E como representantes espirituais dos alimentos têm-se o pão e o vinho, transformados na última Ceia em corpo e sangue de Cristo. O homem deve ter com os alimentos uma relação espiritual, partilhando-os com os irmãos e não se deixando escravizar pela obsessão em consumi-los.

O pâncreas, glândula exócrina e endócrina, é responsável pela regulação dos níveis de insulina no organismo e pela secreção de enzimas digestivas. O vocábulo é originário do grego *pan kreas*, significando toda carne. Em trechos bíblicos como os de São Paulo, a carne é fraca, portanto, tendenciosa ao pecado. Mas é bem verdade que também ela se tornou corpo de Cristo e em Gênesis o destino de toda carne é estar diante da face de Deus (Gn 6,13). Outro órgão fundamental na matriz abdominal é o fígado. Sintetiza e excreta a bile, fabrica diversas proteínas e fatores de coagulação, estoca ferro, vitamina B12 e a glicose, esta, sob a forma de glicogênio. Guarda relações vernáculas com o fruto da figueira, o figo tão citado nos Evangelhos. Jesus amaldiçoa a figueira estéril (Mc 11,12-20). Ele antevê Natanael sentado embaixo de uma figueira (Jo 1,48) e faz comparações entre os discípulos e os frutos de determinadas árvores (Lc 6,48). O fígado é um órgão armazenador, relacionado à força e ao caráter do indivíduo.

Diz-se ainda que este é um órgão de peso, no qual concentramos nossas emoções. E quando não damos aos acontecimentos e pessoas o justo peso? Muitas vezes sobrevirão as doenças, frutos de desproporcionais preocupações.

O coração, órgão responsável pelo bombeamento do sangue para todo o corpo, inclusive para ele próprio, é diversas vezes mencionado na Bíblia, encerrando os significados real e metafórico. A palavra, que deriva do latim *cor, cordis*, é da mesma matriz que as palavras misericórdia e concórdia. Esse órgão é comparado a um vaso por conter o precioso sangue que nos garante a vida. É apontado como o cerne de nossos sentimentos e em algumas passagens bíblicas se diz ser necessário ao homem para salvar-se, ter consigo um coração novo, ou seja, convertido, cheio de bons sentimentos, principalmente de amor.

Os próximos órgãos da matriz peitoral descrito por Miranda (2012) são os pulmões. Semelhante aos rins, também possuem estrutura arborescente formada pelos alvéolos e estes são responsáveis pela hematose[8]. De acordo com o vocábulo equivalente hebraico *reá*, os pulmões são a luz do sopro. Na história da Criação do homem, Deus sopra nas narinas de Adão e ele ganha vida (Gn 2,7). O modo como o homem respira

---

[8] Troca gasosa que ocorre nos alvéolos, no qual o sangue rico em gás carbônico é trocado pelo sangue rico em oxigênio.

demonstra como ele vive: bem ou mal, com ou sem saúde. É muito importante respirar pelas narinas, uma vez que estas possuem estruturas anatômicas capazes de filtrar o ar. Também é fundamental uma postura ereta, porém de forma confortável, para que se respire bem.

A coluna vertebral composta por sete vértebras cervicais, doze dorsais e cinco lombares, sustenta o crânio e apoia-se sobre a bacia. O termo coluna deriva do latim *cello,* significando elevar-se, e de *cel* excelso, elevado, sublime. O homem moderno é um ser desestabilizado, inclusive emocionalmente. Isso se reflete sobre sua coluna, surgindo as famosas dores nas costas, reflexos do medo, tensões e sofrimentos. As tradições orientais de meditação utilizam a posição em lótus com a coluna ereta, evocando a serenidade espiritual.

As mãos são também órgãos visualizadores, de acordo com a concepção corporal de Miranda (2012). São, segundo ele, os órgãos mais mencionados na Bíblia, com 1.538 citações. Elas representam na tradição judaico-cristã: o poder, a autoridade e o conhecimento.

Nos cerimoniais religiosos cristãos, as mãos dos sacerdotes cumprem papel simbólico de suma importância. Jesus mandou Tomé tocar suas mãos e seu lado, para dar-lhe conhecimento de sua ressureição. No Antigo Testamento, a mão de Deus cria, protege e destrói. Quanto às mãos humanas, estas se dão em casamento, modelam objetos, ferem, acariciam, apoderam-se de coisas, conferem autoridade, curam. Biblicamente falando, temos várias passagens que denotam o ritual de imposição de mãos para dar poder a outrem, como na nomeação de Josué por Moisés (Nm 27,18-23); bem como para curar doenças (At 9,7), (Mc 6,5) e (Lc 4,40). As mãos estão intrinsecamente ligadas a nosso cérebro, sendo as executoras dos pensamentos.

No interior da caixa craniana, encontra-se o encéfalo, composto pelo cérebro, bulbo raquidiano, cerebelo, pedúnculos e protuberância. O crânio lembra o destino de todo ser vivo: a morte, a passagem desta vida a qual estamos acostumados para outra, junto a Deus, em um território totalmente desconhecido e, talvez, por isso tão temido. Nos Evangelhos, o local onde Jesus foi crucificado é chamado Gólgota, em aramaico, *gulgutá.* No grego, *kranion,* e no português: crânio. Por meio de sua morte e ressurreição, Cristo nos abriu o caminho para o céu, pois também nós ressurgiremos um dia, não mais como matéria, mas como ser espiritual.

Corpo, alma e espírito: o homem em sua essência

Sim, pois o homem não pode ser reduzido apenas a um corpo. Como sabemos, o cérebro é um de seus componentes físicos. Marino Jr. (2005) fala com maestria sobre a divisão do homem em três partes: corpo, alma e espírito. Deus habitaria este último componente, dando-lhe o discernimento entre o certo e o errado, além de uma grande sensibilidade, chamada por alguns de intuição. Também é o espírito que mune o homem de uma tendência à comunhão com a divindade, passando a sentir uma necessidade de cultuar a Deus, de adorá-lo. A alma é a morada do "eu", com seu livre-arbítrio, suas vontades, emoções e intelecto, representando sua personalidade. O corpo seria uma mera carcaça, dotada de sentidos, que põe o homem em contato com o mundo material. Mas sem alma o corpo não sobrevive. Ela age como intermediária entre o espírito, que nos fora soprado por Deus, segundo a Bíblia, e nosso corpo físico.

Então teríamos um "eu" ligado à matéria e outro conectado a Deus. O primeiro muitas vezes cometeria erros, falhas ou pecados. Já o segundo seria o bem que habita em nós: o sopro divino que nos foi dado no ato da criação. Talvez por isso travemos tantas batalhas diárias dentro de nós mesmos, às vezes com pensamentos tão contraditórios sobre um mesmo assunto. E até os ateus possuem comportamentos éticos e preocupam-se com as outras pessoas. Por vezes praticam mais o bem do que alguns frequentadores assíduos de cultos religiosos. A alma está sujeita a mudanças, com inclinações para o bem ou para o mal, no decorrer da vida. A verdade absoluta é dom do próprio Deus. Tudo o que fazemos de bom é por sua graça. Isso acontece quando deixamos o ser espiritual se sobrepor ao "eu" matéria. Como sabemos, são poucas vezes em que isto acontece; exceto na vida dos santos e de grandes homens da história que, independentemente de seus credos religiosos, dedicaram sua vida ao bem comum da humanidade (Marino Jr., 2005).

Falando sobre Deus

É sempre complicado falar sobre Deus, em sua essência; tentar defini-lo. Parece um pensamento muito simplista afirmar que Ele não existe, porque a Ciência não consegue provar de forma empírica sua existência. As Escrituras dizem que "Deus é espírito e seus adoradores devem adorá-lo em espírito e verdade" (Jo 4,24). O professor Felipe Aquino afirma: "Deus é um espírito perfeitíssimo e eterno" (AQUINO, 2013; p. 43).

Da mesma forma que não é fácil entender como se deu a criação do mundo e do próprio homem, o autor citado acima afirma que é absurda a ideia de um acaso criador de todas as coisas, sem um Arquiteto maravilhoso que assine pela obra.

Para Otto (2005), a divindade é definida com clareza, sobretudo na ideia teísta cristã sobre Deus, caracterizando-se inclusive pelos seguintes atributos: onipotência, espírito, razão, vontade, intenção, boa vontade, unidade da essência e consciência. Segundo ele, o divino só possui atributos perfeitos, enquanto o homem é um ser limitado, mera criatura diante do sagrado. Ele então se interroga quanto à natureza do Numinoso, algo não visível aos olhos, mas sentido ou pressentido como uma sombra em nossa consciência. Deus é capaz de deflagrar ondas de arrepio pelo corpo humano e permanecer como um mistério difícil de compreender, tamanhos são seus atributos extraordinários.

Sua presença pode ser "percebida" no silêncio, em um ambiente de pouca luz. Quando pensamos estar diante do nada, vemo-nos finalmente diante do Tudo. Então parece compreensível a ideia de que a morte pode não ser o fim, mas o começo, como dizia Cristo. Apesar de nossas limitações, temos dentro de nós uma centelha de eternidade herdada do Criador, que nos impulsiona para frente, muitas vezes em situações desesperadoras ou insolúveis. Acreditar em Deus é vislumbrar uma luz no fim do túnel. Eu, pessoalmente, não concebo a ideia de que se possa viver sem essa crença. Negá-lo é assumir o triste destino de que a sepultura encerra nossa existência.

Para percebê-lo, é necessário estar em estado de graça, com o coração aberto a isso. Sua Palavra é eficaz quando pronunciada de forma viva e se faz ouvir por alguém receptivo, semelhante a um apreciador de boa música que se encanta ao ouvir uma melodia (OTTO, 2005). Afinal Deus nos fala também por meio de outras pessoas. Mas não se pode proferir sua Palavra de qualquer maneira, isso deve ser feito com fervor, com veemência, com fé. Da mesma forma, para dar bons frutos, ela (a palavra) deverá cair em terra boa, ou seja, o ouvinte deve prestar atenção e esforçar-se para praticá-la. Talvez por isso muitos ateus declarados ou até pessoas que se dizem religiosas, mas que não o são verdadeiramente, nunca se convencem realmente de sua existência, apesar de tantas provas já dadas à humanidade.

Para ser religioso ou um homem espiritualizado não é necessário que se negue o valor da Ciência. Esta também nos foi dada por Deus. Interessante o fato de tantas descobertas que a humanidade fez "por acaso"! Parece-me que sempre tem algum cientista "maluco" pesquisando uma coisa e descobrindo outra. Tantas curas! Tantos remédios! Também me chama a atenção o fato de que tantos cientistas brilhantes na história não colocaram em xeque a existência de Deus, como: Einstein e Francis Collins. Este, importante médico geneticista, que durante muitos anos esteve à frente do projeto Genoma Humano, converteu-se ao protestantismo aos 27 anos de idade, quando se deparou com a fé de muitos de seus pacientes. Passou a ser duramente criticado no meio acadêmico devido a sua fé religiosa, quando então decidiu escrever um livro, que esteve durante muito tempo entre os mais vendidos nos Estados Unidos, falando de sua trajetória como cientista religioso.

O homem guarda em si mesmo esse fascínio pelo desconhecido, pelas coisas que não consegue compreender. Otto (2005) chama atenção para o fato de nos sentirmos tocados muitas vezes por palavras, cujos significados não conhecemos, como: *Kyrie eleison* e *Allelluia*. Sentimos a presença de Deus no vazio, no silêncio e na obscuridade. Sua presença é marcante na extensão do deserto, no misticismo de um ambiente com pouca luz, durante o momento da transubstanciação da missa. Nesse momento, segundo este autor, a ausência do som é a música mais perfeita.

Concluindo o capítulo

Para o exercício da espiritualidade plena, o homem deverá revestir-se de humildade, mansidão, bondade, paciência, conscientizando-se de sua verdadeira condição humana, para dessa forma abrir-se para Deus, tornando-se seu legítimo sacrário. Nada do que o irmão faça lhe será estranho, tamanha será sua compaixão por ele. É um exercício de coragem obedecer às determinações de Deus em nossas vidas, abandonando-se em suas mãos, mergulhando nele, reconhecendo nossa impotência diante de muitas dificuldades para só então partilhar de sua graça (Grün; Dufner, 2013).

O "homem como ser espiritual" sente-se eleito, predestinado por Deus para a salvação, ouvindo em seu coração um leve murmúrio do espírito. Não que estejamos todos com o destino selado. Talvez porque em seu entendimento, tudo o que lhe acontece na vida foi permitido por Deus, para sua salvação. Ele volta o olhar sobre si mesmo e enxerga a graça divina, não acreditando puramente que suas boas ações são frutos de seus esforços pessoais, mas são concessões do Pai celestial. Os muçulmanos afirmam que cabe ao homem fazer planos, mas somente Alá fixa o prazo para que eles se realizem (Otto, 2005).

Considerações finais

Não tenho aqui a pretensão de encerrar os debates sobre o assunto, que envolve a religiosidade/espiritualidade e a saúde. Esse é um tema muito amplo e que, mesmo tendo sido marginalizado por grande parte dos cientistas durante muito tempo, está cada dia mais suscitando a curiosidade de novos pesquisadores: afinal o perdão traz algum benefício para o ser humano? Rezar o terço acalma, induz o sono ou é uma mera repetição de palavras, sem qualquer efeito sobre o corpo? Teria mesmo o homem o dom de curar seu semelhante pela mera imposição de mãos ou isto é mais uma invenção de fanáticos religiosos? Nossa mente, estimulada pela prática religiosa, teria mais poder do que uma mente cética? Todas essas questões e muitas outras podem e devem motivar novas pesquisas na área, pois estamos apenas engatinhando em busca desse conhecimento.

Nosso cérebro ainda permanece um mistério, apesar dos avanços tecnológicos que alcançamos. No entanto, são conhecidos no meio científico os benefícios notáveis que o estado meditativo traz para o organismo. A meditação induz o relaxamento, podendo ser utilizada no combate ao estresse, constitui-se ainda em um ótimo estímulo para as funções cognitivas, além de manter a mente concentrada no presente, reduzindo a ansiedade, e é também uma das melhores formas de manter o ser humano em conexão com Deus, com o universo.

Ler as Sagradas Escrituras é outra forma de estimular a cognição, além dos sábios ensinamentos que estão contidos nessas passagens. Ao formular uma prece, o ser humano comunica-se com Deus, depositando nele suas esperanças, medos e angústias. Ao reunir-se com outras pessoas que compartilham da mesma fé, o fiel amplia sua rede de relacionamentos, fortalece laços, podendo a eles recorrer em momentos de necessidade. Ao partilhar nossa vida com os irmãos nas comunidades, estabelecemos a verdadeira comunhão com Cristo.

Por que não impor as mãos sobre nossos entes queridos, quando estes ficam enfermos? Não há efeito colateral; se bem não fizer, mal também não haverá. Se a Medicina tradicional não estiver tendo êxito, mais um motivo para tentar essa técnica, que não deixa de ser uma forma de oração pelo outro que necessita, uma intercessão. A imposição de mãos ou Toque Terapêutico inclui em seu procedimento técnicas meditativas, as quais são consideradas fundamentais para seu êxito. Como vimos, uma das condições necessárias para a cura com o TT é o centramento ou concentração. Igualmente importante é o autoconhecimento, tanto por parte do agente de cura, como por parte do doente, bem como o domínio sobre os próprios pensamentos e desejos.

O ser humano é dotado de mente, corpo e espírito, devendo cuidar da saúde desses três elementos que o compõem. A Religião, quando vivida dentro dos preceitos do amor e da verdade, fornece subsídios extremamente úteis na busca de uma melhor qualidade de vida, baseada na temperança e na alegria. O corpo humano é sacrário do Espírito Santo e como tal deve ser tratado, cuidado. Essa deve ser uma preocupação constante para os cristãos.

Os homens perseguem a todo instante o domínio da natureza, de seus semelhantes e do universo, avançando a cada dia na Ciência e tecnologia. Mas está esquecendo o principal: seu mundo interior; este é seu maior desafio, o conhecimento de si próprio e de todas as suas capacidades e dons. Alguém que dividiu a história em antes e depois de sua passagem aqui na terra já dizia que o amor era algo fenomenal e que a fé verdadeira seria capaz de remover montanhas. Ele ensinava que poderíamos curar uns aos outros com um simples ato de impor as mãos sobre um corpo doente. Cabe-nos, como cientistas apaixonados pelo desconhecido, procurar evidenciar essa possibilidade que se abre para nós e que sem dúvida poderá fazer uma verdadeira revolução na área médica, já tão saturada pela mecanicidade e pela impessoalidade.

Referências bibliográficas

ABDALA, G. A. et al. *Religiosidade e hipertensão*: estudo intervencional. Revista Formadores: vivências e estudos. Cachoeira, v. 4, n. 1, p. 33-42, jan/dez. 2011.

ABDALA, G. A. *A religiosidade/espiritualidade como influência na abstinência, redução e/ou abandono do uso de drogas*. Revista das Faculdades Adventistas da Bahia. Formadores: vivências e estudos. Cachoeira, v. 2, n. 3, p. 447-460, 2009. Disponível em:< http://www.psicologia.pt/artigos/textos/TL0241.pdf> Acesso em: 9 de jan. 2013.

ABIB, J. *Considerai como crescem os lírios*: A providência divina. 5ª ed. São Paulo: Edições Loyola, 2001, p. 95.

_____. *Eucaristia*: nosso tesouro. 14ª ed. São Paulo: Canção Nova, 2005, p. 95.

_____. *Milagres aos nossos olhos*: testemunhos. 10ª ed. São Paulo: Canção Nova, 2010a, p. 206.

_____. *Orando com poder*. 32ª ed. São Paulo: Canção Nova, 2010b, p. 136.

ALVES, R. *O que é religião?* 11ª ed. São Paulo: Loyola, 2010, p. 134.

AQUINO, F. R. Q. de. *Os dogmas da fé*: a doutrina católica. 3ª ed. Lorena: Cléofas, 2013, p. 392.

AQUINO, T. A. A. de; FREITAS, M. H. de; PAIVA, G. J. de (orgs.) João Pessoa: editora da UFPB, 2013b. p. 110-111. Resumo.

AUGUSTO, A. Introdução ao pensamento integrativo em Medicina. In: BARRETO, A. F.; BARROS, N. F. de (orgs.). *Práticas Integrativas em Saúde*: proposições teóricas e experiências na Saúde e Educação. Editora Universitária, UFPE, 2014, p. 61-82.

ARNOLD, R. M. et al. *Patient attitudes concerning the inclusion of spirituality into addiction treatment.* Journal of Substance Abuse Treatment, v. 23, p. 319-326, 2002.

BALESTIERI, F. M. P. *A natureza nos diz que somos um*. RELIGARE – Revista de ciências das religiões, n. 4, p. 84-94, set. 2008.

_____. *Quando a cura vem do coração e da mente*: a fé e o efeito placebo. RELIGARE – Revista de ciências das religiões, n. 6, p. 68-80, set. 2009.

BALESTIERI, F. M. P.; DUARTE, Y. de A.; CARONE, L. M. *As terapias de toque podem aliviar o estresse e seus efeitos sobre o sistema imune?* RELIGARE – Revista de ciências das religiões, n. 2, p. 11-19, set. 2007.

BARUFFA, G. *Doenças, doentes, médicos*: aspectos antropológicos e culturais. Razão e Fé: Revista inter e intradisciplinar da Filosofia, Teologia e Bioética. Pelotas: Universidade Católica de Pelotas, v. 10, n. 2, p. 13-30, jul./dez. 2008.

BARRETO, A. F.; RÖHR, F. Resgatando a espiritualidade humana: caminhos indicados para um cuidado sustentável e íntegro. In: BARRETO, A. F.; BARROS, N. F. (orgs.). *Práticas Integrativas em Saúde*: proposições teóricas e experiências na Saúde e Educação. Editora Universitária, UFPE, 2014, p. 83-98.

BELTRAME, V.; ORSO, Z. A.; GOMES, I. Doenças crônicas e envelhecimento. In: SCHWANKE, C. H. A. et al (Orgs.) *Atualizações em Geriatria e Gerontologia II*: abordagens multidimensionais e interdisciplinares. Porto Alegre: EDIPUCRS, 2009, p. 96-105.

BERNARDI et al. *Effect of rosary prayer and yoga mantras on autonomic cardiovascular rhythms: comparative study.* British Medical Journal, v. 323, n.7327, p. 1446–1449, dec. 2001. Disponível em:< http://www.ncbi.nlm.nih.gov/pubmed/11751348> Acesso em: 9 de jan. 2013.

BERTANI, I. F. *Saúde, sofrimento e sociedade.* Serviço social & realidade. Franca, v. 15, n. 1, 2006, p. 131-158.

BERNTSON, G. G. et al. *Spirituality and autonomic cardiac control.* NIH Author Manuscript. v. 35, n. 2, 2008, p. 198-208.

BÍBLIA SAGRADA: tradução dos originais mediante a versão dos monges de Maredsous (Bélgica) pelo Centro Bíblico Católico. 75ª ed. São Paulo: Ave Maria, 1991, p. 1632.

BIRMAN, J. *O sujeito na contemporaneidade*: espaço, dor e desalento na atualidade. 1ª ed. Rio de Janeiro: Civilização Brasileira, 2012, p. 159.

BORGES, H. P.; CRUZ, N. do C.; MOURA, E. C. *Associação entre Hipertensão Arterial e Excesso de Peso em Adultos.* Arquivo Brasileiro de Cardiologia. São Paulo, v. 91, n. 2. p. 110-118 , 2008. Disponível em: < http://www.scielo.br/pdf/abc/v91n2/v91n2a07.m>. Acesso em: 19 de jan. 2013.

BOWIE, J.; SYDNOR, K. D.; GRANOT, M. *Spirituality and Care of Prostate Cancer Patients*: a Pilot Study. Journal of the National Medical Association, v. 95, n. 10, p. 951-954, oct. 2003.

BRASIL, Ministério da Saúde. Secretaria de Atenção à Saúde. Departamento de Atenção Básica. Cadernos de Atenção Básica, n. 15. Hipertensão Arterial Sistêmica. Brasília: Ministério da Saúde, 2006.

BRENNAN, B. A. *Mãos de Luz*: um guia para a cura através do campo de energia humana. Tradução de Octávio Mendes Cajado. 10ª ed. São Paulo: Pensamento, 1995, p. 392.

BROWN, D. O estresse, o trauma e o corpo. In: GOLEMAN, D. (Org.). *Emoções que curam*: conversas com o Dalai Lama sobre mente alerta, emoções e saúde. Rio de Janeiro: Rocco, 1999, p. 104-120.

BROWN, C. G. et al. Study of the Therapeutic Effects of Proximal Intercessory Prayer (STEPP) on Auditory and Visual Impairments in Rural Mozambiquet. *Southern Medical Journal*, v. 103, n. 9, Sep., p. 864- 869, 2010. Disponível em: <http://www.docvadis.es/jorgecordero/document/jorgecordero/estudio_de_los_efectos_terap_uticos_de_la_oraci_n_de_intercesi_n_proximal_en_discapacidades_auditiva_y_visual_en_la_zona_rural_de_mozambique/fr/metadata/files/0/file/Study_of_the_Therapeutic_Effects_of_Proximal.5.pdf> Acesso em: 23 de mar. 2013.

CAMPBELL, J. *O poder do mito*. 28ª ed. São Paulo: Palas Athena, 2011, p. 250 (Entrevista concedida a Bill Moyers).

CARDOSO, R. *Medicina e meditação*: um médico ensina a meditar. 4ª ed. São Paulo: MG editores, 2011, p. 147.

CELICH, K. L. S. et al. A dimensão espiritual no processo de cuidar. In SCHWANKE, C. H. A. et al (Orgs.) *Atualizações em Geriatria e Gerontologia II*: abordagens multidimensionais e interdisciplinares. Porto Alegre: EDIPUCRS, 2009, p. 64-72.

CHOPRA, D. *A cura quântica*: o poder da mente e da consciência na busca da saúde integral. Tradução de Evelyn Kay Massaro e Marcília Britto. 47ª ed. Rio de janeiro: Best Seller, 2011, p. 302.

CONCEIÇÃO, T. V. da. et al. *Valores de pressão arterial e suas associações com fatores de risco cardiovasculares em servidores da Universidade de Brasília*. Arquivos Brasileiros de Cardiologia. Rio de janeiro, v. 86, n. 1, p. 26-31, jan. 2006.

CORREIA JÚNIOR, J. L. *Um duplo relato de curas no evangelho de Marcos (5,21-43)*: algumas considerações do ponto de vista hermenêutico. Revista de Teologia e Ciências da Religião da Unicap, Recife, Ano IX, n. 2, p. 41-62, jul./dez., 2010.

COSTA, F. P.; MACHADO, S. H. O consumo de sal e alimentos ricos em sódio pode influenciar na pressão arterial das crianças? Ciência e saúde coletiva, Rio de Janeiro, v.15, p. 1383-1389, Jun., 2010. Suplemento1. Disponível em:<http://www.scielo.br/scielo.php?pid=S141381232010000700048&script=sci_arttextm > Acesso em: 19 de jan. 2013.

CRUZ, A. P. de M.; LANDEIRA-FERNANDEZ, J. Medo e dor e a origem da ansiedade e do pânico. In: LANDEIRA-FERNANDEZ, J.; SILVA, M. T. A. (orgs.). *Intersecções entre Psicologia e Neurociências*. Rio de Janeiro: MedBook, 2007, p. 217-239.

DAL-FARRA, R. A.; GEREMIA, C. *Educação em saúde e espiritualidade*: proposições metodológicas. Revista Brasileira de Educação Médica, Canoas, v. 34, n. 4, p. 587-597, 2010.

DALGALARRONDO, P. et al. *Religião e uso de drogas por adolescentes*. Revista Brasileira de Psiquiatria, v. 26, n. 2, p. 82-90, 2004.

_____. *Estudos sobre religião e saúde mental realizados no Brasil*: histórico e perspectivas atuais. Revista de Psiquiatria Clínica, v. 34, p. 25-33, 2007. Suplemento 1.

DOSSEY, L. Tradução de Paulo Sérgio de Oliveira. *Espaço, tempo e Medicina*. 9ª ed. São Paulo: Cultrix, 2000, p. 280.

DOSSEY, L. *Reinventando a Medicina*: transcendendo o dualismo mente-corpo para uma nova era de cura. Tradução de Milton Chaves de Almeida. 10ª ed. São Paulo: Pensamento-Cultrix, 2007, p. 208.

_____. *A cura além do corpo*: a medicina e o alcance infinito da mente. 11ª ed. Tradução de Gilson César Cardoso de Sousa. São Paulo: Pensamento-Cultrix, 2012, p. 327.

DUARTE, F. M.; WANDERLEY, K. da S. *Religião e espiritualidade de idosos internados em uma enfermaria geriátrica*. Psicologia: Teoria e Pesquisa, v. 27, n. 1, Brasília, mar. 2011.

ELIOPOULOS, C. Spirituality. In: ELIOPOULOS, C. *Gerontological Nursing*. 7ª ed. Philadelphia: Lippincott Williams & Wilkins, 2010, p. 150- 157.

EVANGELISTA, C. B. et al. *Espiritualidade no cuidar de pacientes em cuidados paliativos*: Um estudo com enfermeiros. Esc. Anna Nery. v. 20, n. 1. p. 176-182, 2016.

FANGER, P. C. et al. *Depressão e comportamento suicida em pacientes oncológicos hospitalizados*: prevalência e fatores associados. Revista Associação Médica Brasileira, v. 56, n. 2, p. 173-178, 2010.

FARIAS, M. *A dor e a crença religiosa*: uma perspectiva neuropsicológica. RELIGARE – Revista de ciências das religiões, n. 6, p. 81-87, set. 2009.

FITCHETT, G.; POWELL, L. H. Daily Spiritual Experiences, Systolic Blood Pressure, and Hypertension among Midlife Women in SWAN. Ann Behav Med. v. 37, n. 3, p. 257-267, jun., 2009 . Disponível em: < http://www.ncbi.nlm.nih.gov/pmc/articles/PMC2867660/citedby/>. Acesso em: 27 de abr. 2013.

FIAMONCINI, R. L.; FIAMONCINI, R. E. *O estresse e a fadiga muscular*: fatores que afetam a qualidade de vida dos indivíduos. Efdeportes.com revista digital, Buenos Aires, ano 9, n. 66, nov. 2003. Disponível em:< http://www.efdeportes.com/efd66/fadiga.htm>. Acesso em: 28 de fev. 2012.

FORNAZARI, S. A.; FERREIRA, R. E. R. *Religiosidade/espiritualidade em pacientes oncológicos:* qualidade de vida e saúde. Psicologia: Teoria e Pesquisa. v. 26, n. 2, p. 265-272, Brasília, abr./jun. 2010.

GARY MCCORD, M. A. et al. *Discussing Spirituality With Patients*: a rational and ethical approach. Annals of family medicine, v.2, n.4, p. 356-361, july, 2004. Disponível em: <http://www.ncbi.nlm.nih.gov/pmc/articles/PMC1466687/,> Acesso em: 7 de fev. 2013.

GILLUM, R. F.; INGRAM, D. D. *Frequency of Attendance at Religious Services, Hypertension, and Blood Pressure*: The Third National Health and Nutrition Examination Survey. Psychosomatic Medicine, v. 68, p. 382-385, 2006. Disponível em: < http://www.psychosomaticmedicine.org/content/68/3/382.full.pdf>. Acesso em: 21 de abr. 2013.

GIRAUDO, C. *Num só corpo*: tratado mistagógico sobre a eucaristia. Tradução de Francisco Taborda. São Paulo: Edições Loyola, 2003, p. 619.

GLÖCKLER, M. Salutogênese: as fontes da saúde física, psíquica e espiritual. In: PELIZZOLI M. (Org.). *Os caminhos para a saúde*: integração mente e corpo. Petrópolis: Vozes, 2010, p. 175-194.

GOLDROSEN, M. H.; SRAUS, S. E. *Complementary and alternative medicine*: assessing the evidence for immunological benefits. Nature Reviews Immunology, v. 4, p. 912-921, nov. 2004.

GOLEMAN, D. Emoções perturbadoras e gratificantes: impactos sobre a saúde. In: GOLEMAN, D. (Org.). *Emoções que curam*: conversas com o Dalai Lama sobre mente alerta, emoções e saúde. Rio de Janeiro: Rocco, 1999, p. 43-58.

GOMES, V. M.; SILVA, M. J. P. da; ARAÚJO, E. A. C. *Efeitos gradativos do toque terapêutico na redução da ansiedade de estudantes universitários.* Revista Brasileira de Enfermagem, Brasília, n. 61, v. 6, p. 841-846, nov./ dez., 2008.

GOMES, A. M. T. *Representações sociais da espiritualidade de quem vive com Aids:* um estudo a partir da abordagem estrutural. Psicologia e Saber Social, v. 5, n. 2, p. 187-197, 2016.

GONÇALVES, S. et al. *Hipertensão arterial e a importância da atividade física.* Revista Estudos de Biologia. PUCPR, v. 29, n. 67, p. 205-213, abr./jun., 2007.

GLÖCKLER, M. Salutogênese: as fontes da saúde física, psíquica e espiritual.

In: PELIZZOLI M. (Org.). *Os caminhos para a saúde*: integração mente e corpo. Petrópolis: Vozes, 2010, p. 175-194.

GORDON, R. *A cura pelas mãos*: ou a prática da polaridade. Tradução de Maria Dhylan Beatriz. São Paulo: Pensamento, 1978, p. 143.

GOSWAMI, A. *O médico quântico*: orientações de um físico para a saúde e a cura. Tradução de Euclides Luiz Calloni e Cleusa Margô Wosgrau. São Paulo: Cultrix, 2006, p. 288.

GRESCHAT, H. J. *O que é ciência da religião?* Tradução de Frank Usarski. São Paulo: Paulinas, 2005, p. 167 (Coleção Repensando a Religião).

GROF, S. Manifestações físicas de distúrbios emocionais: observações do estudo de estados incomuns da consciência. In: PELIZZOLI M. (Org.). *Os caminhos para a saúde*: integração mente e corpo. Petrópolis: Vozes, 2010, p. 119-150.

GRÜN, A.; DUFNER, M. *Espiritualidade a partir de si mesmo*. Tradução de Herbert de Gier e Carlos Almeida Pereira. 11ª ed., Petrópolis: Vozes, 2013, p. 127.

GUIMARÃES, C. E. M. A medicina ayurvédica e o autoconhecimento. In: PELIZZOLI M. (Org.). *Os caminhos para a saúde*: integração mente e corpo. Petrópolis: Vozes, 2010, p. 151-173.

GUIMARÃES, H. P.; AVEZUM, A. *O impacto da espiritualidade na saúde física*. Revista de Psiquiatria Clínica. São Paulo, n. 34, p. 88-94, 2007. Suplemento, 1.

GUYTON, A. C. Os hormônios córtico suprarrenais. In: GUYTON, A. C. *Tratado de Fisiologia Médica*. 7ª ed. Rio de Janeiro: Guanabara Koogan, 1989, p. 721-731.

HELM, H. M. et al. Does Private Religious Activity Prolong Survival? A Six--Year Follow-up Study of 3.851 Older Adults. Journal of Gerontology: MEDICAL SCIENCES, v. 55A, n. 7, M400–M405, 2000.

HILL, P. C.; PARGAMENT, K. I. *Advances in the conceptualization and measurement of religion and spirituality*: implications for physical and mental health research. American Psychologist. p. 64-74, jan. 2003.

HO et al. *Understandings of spirituality and its rolein illness recovery in persons with schizophrenia and mental-healthprofessionals:* a qualitative study Rainbow Tin. BMC Psychiatry, 2016. Disponível em: <https://doi.org/10.1186/s12888-016-0796-7>.

HUFF, M. B.; MCCLANAHAN, K. K.; OMAR, H. A. *From healing the whole person*: an argument for therapeutic touch as a complement to tradicional medical practice. Review Article. The Scientific World Journal. TSW Holistic Health & Medicine. p. 2188-2195, 2006.

HUMMER, R. A. et al. *Religious involvement and U.S. adult mortality. Demography*, v. 36, n. 2, p. 273-285, May, 1999.

ILLICH, I. A medicina desumanizada: a obsessão pela saúde perfeita. In: PELIZZOLI M. (Org.). *Os caminhos para a saúde*: integração mente e corpo. Petrópolis: Vozes, 2010, p. 195-202.

KIM, K. H.; SOBAL, J. *Religion, social support, fat intake and physical activity. Public Health Nutrition*, v. 7, n. 6, p. 773–781, 2004. Disponível em:< http://journals.cambridge.org/download.php?file=%2FPHN%-2FPHN7_06%2FS1368980004000941a.pdf&code=49d23800e6e4ede-13592b187924f0996> Acesso em: 2 de jan. 2013.

KLÜPPEL, B. L. P.; SOUSA, M. do S.; FIGUEREDO, C. A. *As práticas integrativas e o desafio de um novo paradigma em saúde*. RELIGARE – Revista de ciências das religiões, n. 2, p. 33-42, set. 2007.

KOENIG, H. G. Spirituality, wellness, and quality of life. Sexuality, Reproduction & Menopause. Elsevier, v. 2, n. 2, p. 76-82, jun. 2004.

_____. Physician's role in addressing spiritual needs. Southern Medical Journal, v. 100, n. 9, p. 932-933, set., 2007a. Special Section: Spirituality/Medicine Interface Project. Disponível em: < ournals.lww.com/smajournalonline/Fulltext/2007/09000/Physician_s_Role_in_Addressing_Spiritual_Needs_.30.aspx>. Acesso em: 3 de mar. 2013.

_____. Spirituality in patient care: why, how, when, and what. 2ª ed. Conshohocken: Templeton Press, 2007b, p. 264.

_____. *Religião, espiritualidade e psiquiatria*: uma nova era na atenção à saúde mental Revista de Psiquiatria Clínica. São Paulo, v.34, supl.1, 2007c, p. 5-7.

_____. *Religião, espiritualidade e transtornos psicóticos*. Revista de Psiquiatria Clínica. São Paulo, v. 34, supl.1, 2007d, p. 95-104.

_____. Definitions. In: KOENIG, H. G. *Spirituality and health research*: methods, measurement, statistics and resources. Conshohocken: Templeton Press, 2011a, p. 193-206.

_____. Overview of the research. In: KOENIG, H. G. *Spirituality and health research*: methods, measurement, statistics and resources. Conshohocken: Templeton Press, 2011b. p. 13-27.

_____. *Medicina, religião e saúde*: o encontro da ciência e da espiritualidade. Tradução de Iuri Abreu. Porto Alegre: L&PM, 2012, p. 248.

Kovács, M. J. *Espiritualidade e psicologia*: cuidados compartilhados. O mundo da saúde. São Paulo, v. 31, n. 2, p. 246-255, abr./jun., 2007.

Krieger, D. *As mãos*: como usá-las para ajudar ou curar. Tradução de Euclides Luiz Calloni. 9ª ed. São Paulo: Cultrix, 2000a, p. 256.

_____. *Toque Terapêutico*: novos caminhos da cura transpessoal. Tradução de Aníbal Mari. 9ª ed. São Paulo: Cultrix, 2000b, p. 248.

Leite, I. S.; Seminotti, E. P. *A influência da espiritualidade na prática clínica em saúde mental*: uma revisão sistemática. Revista Brasileira de Ciências da Saúde v. 17, n. 2, p. 189-196, 2013.

Leloup, J. Y. Cartas aos terapeutas. In: Pelizzoli, M. (org,). *Os caminhos para a saúde*: integração mente e corpo. Petrópolis: Vozes, 2010, p. 203-221.

Levin, J. *Deus, fé e saúde*: explorando a conexão espiritualidade-cura. Tradução de Newton Roberval Eichemberg. 11ª ed. São Paulo: Pensamento-Cultrix, 2011, p. 247.

Léo, P. *Experienciar milagres*. São Paulo: Loyola, 2004, p. 142.

Liberato, R. P. Virtudes Necessárias ao Cuidado em Espiritualidade. In: Pereira F. M. T. et al. Tratado de Espiritualidade e Saúde: teoria e prática do cuidado em espiritualidade na área da saúde. 1ª ed. Rio de Janeiro: Atheneu, 2021. p. 393-401.

Libório, L. A. *Religiosidade e saúde integral no hinduísmo e no budismo*. Revista de Teologia e Ciências da Religião da Unicap, Recife, Ano IX, n. 2, p. 9-40, jul./dez., 2010.

Lima, M. do R. de A. *O enfermeiro da atenção básica e a espiritualidade na produção de cuidado na perspectiva da integralidade*. 2013. 152 f. Dissertação (Mestrado em Ciências das Religiões). Universidade Federal da PB, João Pessoa.

Lima, C. M.; Stotz, E. *Religiosidade popular na perspectiva da Educação Popular e Saúde*: um estudo sobre pesquisas empíricas. RECIIS – Revista Eletrônica de Comunicação, Informação, Inovação em Saúde. Rio de Janeiro, v. 4, n. 3, p. 81-93, set., 2010.

Lins, J. A. B. Medicina Mente-Corpo: evidências científicas do treinamento da mente e do cultivo de valores humanos. In: Pelizzoli M. (Org.). *Os caminhos para a saúde*: integração mente e corpo. Petrópolis: Vozes, 2010, p. 51-92.

LOTUFO NETO, F. Religião, psicoterapia e saúde mental. In: ABREU, C. N. de; ROSO, M. (Orgs.) et al. *Psicoterapia cognitiva e construtivista*: novas fronteiras da prática clínica. Porto Alegre: Artmed, 2003, p. 289-301.

LOVING, A. L.; WOLF, L. F. *The effects of receiving Holy Communion on health*. National Environmental Health Association, v. 60, n. 1. p. 6-10, jul./aug., 1997.

LOYOLA FILHO, A. I. de et al. *Fatores associados à autoavaliação negativa da saúde entre idosos hipertensos e/ou diabéticos*: resultados do projeto Bambuí. Revista Brasileira de Epidemiologia, v. 16, n. 3, p. 559-571, 2013.

LUBICH, C. A Eucaristia faz igreja. In: ARAÚJO, A.; PINTO, R. (Orgs.). *Eucaristia*: caminho para uma nova humanidade. Vargem Grande Paulista, SP: Cidade Nova, 2010, p. 23-34 (coleção em busca da fé).

MARGIS, R. et al. *Relação entre estressores, estresse e ansiedade*. Revista de Psiquiatria do Rio grande do Sul, n. 25, p. 65-74, abr., 2003. Suplemento 1.

MARINO Jr., R. *A religião do cérebro*: as novas descobertas da neurociência a respeito da fé humana. São Paulo: Gente, 2005, p. 169.

MARQUES, I. F. *A saúde e o bem-estar espiritual em adultos porto-alegrenses*. Psicologia Ciência e Profissão. Brasília-DF, v. 23, n. 2, p. 56-65, jun. 2003.

MARTA, I. E. R. et al. *Efetividade do toque terapêutico sobre a dor, depressão e sono em pacientes com dor crônica*: ensaio clínico. Revista da Escola de Enfermagem da USP, São Paulo, v. 44, n. 4. p. 1100-1106, dez. 2010. Disponível em < HTTP: // WWW.scielo.br./scielo.php?script=sci_arttext&pid=S008062342010000400035&lng=en&nrm=iso>. Acesso em: 28 de Maio de 2012.

MEDINA, F. L. et al. *Atividade Física*: impacto sobre a pressão arterial. Revista Brasileira de Hipertensão. São Paulo, v. 17, n. 2. p. 103-106, 2010. Disponível em: < http://departamentos.cardiol.br/dha/revista/17-2/10-atividade.pdf. Acesso em: 19 de jan. 2013.

MENDES, M. *Vencendo aflições alcançando milagres*. 15ª ed. São Paulo: Canção Nova, 2006, p. 167.

_____. *O dom das lágrimas*. 27ª ed. São Paulo: Canção Nova, 2007, p. 144 (Coleção Dons do Espírito).

_____. *O dom do discernimento dos espíritos*. 18ª ed. São Paulo: Canção Nova, 2009, p. 169 (Coleção Dons do Espírito).

_____. *O dom da cura*. 20ª ed. São Paulo: Canção Nova, 2010, p. 248 (Coleção Dons do Espírito).

Miranda, E. E de. *Corpo*: território do sagrado. 7ª ed. São Paulo: Loyola, 2012, p. 285.

Mondoni, D. *Teologia da espiritualidade cristã*. 2ª ed. São Paulo: Edições Loyola, 2002, p. 172.

Montandon, F.; Pereira, R. P. A.; Savassi, L. C. M. Análise da produção científica sobre a síndrome de burnout em médicos da atenção primária: uma revisão narrativa com busca sistematizada. Revista Brasileira de Medicina de Família e Comunidade. v. 17, n. 44, jul., 2022. Disponível em: < https://rbmfc.org.br/rbmfc/article/view/2937>. Acesso em: 5 de março de 2023.

Monteiro, M. F.; Sobral Filho, D. C. *Exercício físico e o controle da pressão arterial*. Revista Brasileira de Medicina do Esporte, São Paulo, v. 10, n. 6, p. 513-516, nov./dez. 2004.

Moreira-Almeida, A.; Lotufo Neto, F.; Koenig, H. G. *Religiosidade e saúde mental*: uma revisão. Revista Brasileira de Psiquiatria, São Paulo, v. 28, n. 3, p. 242-250, set. 2006.

Moreira-Almeida, A.; Stroppa, A. *Espiritualidade & saúde mental*: importância e impacto da espiritualidade na saúde mental. Zen Review, [S. l.], n. 2, p. 2-6, 2009.

Moreira-Almeida, A.; H. G.; Lucchetti, G. *Clinical implications of spirituality to mental health:* review of evidence and practical guidelines. Revista Brasileira de Psiquiatria. v. 36, n. 2, São Paulo, Apr./June 2014. p. 176-182. Disponível em: <http://www.scielo.br/scielo.php?script=sci_arttext&pid=S1516-44462014000200176&lng=en&nrm=iso>.

Muniz, C. C. et al. *Identificando elementos na relação entre fé e cura*. Temas em Saúde, [S. l.], n.1, p. 18-24, 2005. Edição especial.

Newberg, A.; Waldman, M. R. *Como Deus pode mudar sua mente*: um diálogo entre fé e neurociência. Tradução de Júlio de Andrade Filho. São Paulo: Prumo, 2009, p. 367.

Nogueira, A. T. *O parto*: encontro com o sagrado. Texto Contexto Enfermagem, Florianópolis, v. 15, n. 1. p. 122-130, 2006.

Nogueira, M. E. O.; Lemos, S. M. L. *Tecendo o fio de ouro*: itinerário para o autoconhecimento e a liberdade interior. 12ª ed. Aquiraz: Edições Shalom, 2013, p. 591.

Otto, R. *O sagrado*. Lisboa: Edições 70, 2005, p. 229.

Paiva, G. J. de. *Religião, enfrentamento e cura*: perspectivas psicológicas.

Estudos de Psicologia, Campinas, v. 24, n. 1, p. 99-104, jan./mar. 2007.
PANZINI, R. G.; BANDEIRA, D. R. *Coping (enfrentamento) religioso/espiritual*. Revista de Psiquiatria Clínica. São Paulo, v. 34, p. 126-135, 2007. Suplemento, 1.
PARGAMENT, K. I.; LOMAX, J.W. *Understanding and addressing religion among people with mental illness*. World Psychiatry, v. 12, n. 1, p. 26-32, 2013.
PARGAMENT, K. I; KOENIG, H. G. PEREZ, L. M. *The many methods of religious coping: developmentand initial validation of the RCOPE*. Journal of Clinical Psychology, v. 56, n. 4, p. 519-543, 2000.
PASOLINI, P. O sacramento da evolução. In: ARAÚJO, A.; PINTO, R. (orgs.). *Eucaristia*: caminho para uma nova humanidade. Vargem Grande Paulista, SP: Cidade Nova, 2010, p. 147-155 (coleção em busca da fé).
PASSOS, J. D. *Como a religião se organiza*: tipos e processos. São Paulo: Paulinas, 2006, p. 142 (coleção temas do ensino religioso).
PEDROSO, R. M. O Capelão como Membro da Equipe de Saúde. In: PEREIRA, F. M. T. et al. Tratado de Espiritualidade e Saúde: teoria e prática do cuidado em espiritualidade na área da saúde. 1ª ed. Rio de Janeiro: Atheneu, 2021. p. 437-442.
PELIZZOLI, M. Saúde e mudança de paradigma: mens sana in corpore sano. In: PELIZZOLI M. (Org.). *Os caminhos para a saúde*: integração mente e corpo. Petrópolis: Vozes, 2010, p. 23-50.
_____. Visão Histórica e Sistêmica: bases para o paradigma integrativo em saúde. In: BARRETO, A. F.; BARROS, N. F. de (orgs.). *Práticas integrativas em saúde*: proposições teóricas e experiências na Saúde e Educação. Editora Universitária, UFPE, 2014, p. 23-48.
PEREIRA, R. *Passos para a cura*. 5 ed. Cachoeira Paulista: Canção Nova, [s. d.].
PEREIRA, R. C. F. *O enfrentamento das doenças crônicas em idosos institucionalizados na perspectiva da espiritualidade*, 2012. 101 f. Dissertação (Mestrado em Ciências das Religiões) – Universidade Federal da Paraíba – UFPB, João Pessoa, 2012.
PEREIRA, V. N. de A. Religiosidade e Saúde Mental: uma experiência no PSF de Pedras de Fogo. In: *Seminário regional em saúde mental comunitária*: desafios entre teoria e prática e encontro de terapeutas comunitários da Paraíba, 1, 2011, João Pessoa. Anais. João Pessoa: Editora da Universidade Federal da Paraíba, 2011, p. 152-155. Resumo ampliado.
_____. Saúde, estresse e sacralidade do tempo. In: GNERRE, Maria

Lucia Abaurre (org.). *História das religiões*: temas e reflexões. João Pessoa: Ed. UFPB, 2012, p. 257-274.

_____. *Religiosidade em indivíduos hipertensos de uma unidade do Programa Saúde da Família de Pedras de Fogo-PB*. 2013. 179 f. Dissertação (Mestrado em Ciências das Religiões) – Universidade Federal da Paraíba, João Pessoa, 2013.

PEREIRA, V. N. de A.; KLÜPPEL, B. L. P. A abordagem religiosa na prática clínica: ampliando os horizontes do relacionamento médico-paciente. In: *Simpósio Regional Nordeste da associação brasileira de história das religiões*, 1, 2013. Campina Grande. Religião, a herança das crenças e as diversidades de crer. Campina Grande, Universidade Federal de Campina Grande, 2013a, p. 115-116. Resumo.

_____. Cuidado humanizado, religiosidade e saúde mental: um estudo com hipertensos no município de Pedras de Fogo-PB. In: Seminário de Psicologia & Senso Religioso, 9, 2013, João Pessoa. Anais do IX Seminário de Psicologia e Senso Religioso: morte, Religião e Psicologia.

_____. A cura pela fé: um diálogo entre ciência e religião. Revista Caminhos, Goiânia, v. 12, n. 1, p. 93-104, jan./jun., 2014a.

_____. Atenção Religiosa na Prática Clínica – Estratégia na Hipertensão Arterial. In: Barreto, A. F.; Barros, N. F. (orgs.). Práticas Integrativas em Saúde: proposições teóricas e experiências na saúde e educação. Editora Universitária, UFPE, 2014b, p. 293-308.

PERES, M. F. P. et al. *A importância da integração da espiritualidade e da religiosidade no manejo da dor e dos cuidados paliativos*. Revista de Psiquiatria Clínica, São Paulo, v.34, p. 82-87, 2007. Suplemento, 1.

PERES, J. F. P.; SIMÃO, M. J. P.; NASELLO, A. G. *Espiritualidade, religiosidade e psicoterapia*: revisão de literatura. Revista de Psiquiatria Clínica, São Paulo, v. 34, p. 136-145, 2007. Suplemento, 1.

PESSINI, L. A. *Espiritualidade interpretada pelas ciências e pela saúde*. O Mundo da Saúde. São Paulo, v. 31, n. 2, p. 187-195, 2007.

PONTES, A. de M. *Evidências empíricas de um modelo teórico para explicar a noopsicossomática em pessoas vivendo com HIV/AIDS*. 2012. 165 f. Dissertação (Mestrado em Ciências das Religiões). Universidade Federal da Paraíba, João Pessoa.

PINHO, C. M. et al. *Coping religioso e espiritual em pessoas vivendo com HIV/AIDS*. Revista Brasileira de Enfermagem, v. 70, n. 2, p. 392-399, abr., 2017.

Pozatti, M. L. Educação, qualidade de vida e espiritualidade. In: Teixeira, E. F. B.; Müller, M. C.; Silva, J. D. T. da (Orgs.). *Espiritualidade e qualidade de vida*. Porto Alegre: EDIPUCRS, 2004, p. 208-221.

Rizzardi, C. D. do L.; Teixeira, M. J.; Siqueira, S. R. D. T. de. *Espiritualidade e religiosidade no enfrentamento da dor*. O Mundo da Saúde. São Paulo, v. 34, n. 4, p. 483-487, 2010.

Oberto, G. L. Espiritualidade e saúde. In: Teixeira, E. F. B.; Müller, M. C.; Silva, J. D. T. da (Orgs.). *Espiritualidade e qualidade de vida*. Porto Alegre: EDIPUCRS, 2004, p. 162-176.

Rocha, N. S. da; Fleck, M. P. de A. Religiosidade, saúde e qualidade de vida: uma revisão da literatura. In: Teixeira, E. F. B.; Müller, M. C.; Silva, J. D. T. da (Orgs.). *Espiritualidade e qualidade de vida*. Porto Alegre: EDIPUCRS, 2004, p. 177-194.

ROESE, A. Sofrimento espiritual, busca de sentido e espiritualidade. Revista Pistis Prax., Teologia e Pastoral, Curitiba, v. 3, n. 2, p. 333-359, jul./dez. 2011. Disponível em: https://www.researchgate.net/publication/321279706_Sofrimento_espiritual_busca_de_sentido_e_espiritualidade. Acesso em 4 de março de 2023.

Rosa, F. H. M.; Cupertino, A. P. F. B.; Neri, A. L. *Significados de velhice saudável e avaliações subjetivas de saúde e suporte social entre idosos recrutados na comunidade*. Geriatria e Gerontologia, v. 3, n. 2, p. 62-69, 2009.

Saad, M.; Masiero, D.; Battistella, L. R. *Espiritualidade baseada em evidências*. Revista Acta Fisiátrica, v. 8 n. 3, p. 107-112, 2001.

Salzberg, S.; Kabat-Zinn, J. A mente alerta como medicamento. In: Goleman, D. (Org.). Tradução de Cláudia Gerpe Duarte. *Emoções que curam*: conversas com o Dalai Lama sobre mente alerta, emoções e saúde. Rio de Janeiro: Rocco, 1999, p. 123-164.

Sanches, Z. van der M.; Nappo, S. A. *A religiosidade, a espiritualidade e o consumo de drogas*. Revista de Psiquiatria Clínica, v. 34, suplemento, 1, p. 73-81, 2007. Disponível em: < http://www.hcnet.usp.br/ipq/revista/vol34/s1/73.html>. Acesso em: 1 de jan. 2013.

Santos, B. S. *Teologia do evangelho de São João*. 10ª ed. Aparecida: Editora Santuário, 1999, p. 421.

Saporetti, L. A.; Silva, A. M. O. P. A Espiritualidade do Profissional de Saúde. In: Pereira, F. M. T. et al. Tratado de Espiritualidade e Saúde: teoria e prática do cuidado em espiritualidade na área da saúde. 1ª ed. Rio de Janeiro: Atheneu, 2021. p. 458-462.

SAVIETO, R. M. ; SILVA, M. J. P. da. *Efeitos do toque terapêutico na cicatrização de lesões de pele de cobaias*. Revista ACTA Paulista de Enfermagem, São Paulo: UNIFESP/EPM, v. 17, n. 4, p. 377-382, out./dez., 2004.

SAVIOLI, G. *Tudo posso, mas nem tudo me convém*. São Paulo: Edições Loyola, 2012, p. 161.

_____. *Curando corações*. São Paulo: Gaia, 2004, p. 156.

_____. *Fronteiras da ciência e da fé*. São Paulo: Gaia, 2006, p. 175.

_____. *Oração e cura*: fato ou fantasia? O mundo da saúde, São Paulo, v. 31, n. 2, p. 281-289, abr./jun. 2007.

SBISSA, A. S. et al. *Meditação e hipertensão arterial*: uma análise da literatura. Arquivos Catarinenses de Medicina, v. 38, n. 3, p. 105-112, 2009.

SCLIAR, M. J. *Da bíblia à psicanálise*: saúde, doença e medicina na cultura judaica, 1999. 161 f. Tese (Doutorado em Ciências) – Escola Nacional de Saúde Pública. Rio de Janeiro, 1999.

_____. *História do Conceito de Saúde*. PHYSIS: Rev. Saúde Coletiva, Rio de Janeiro, v. 17, n. 1, p. 29-41, 2007.

SELYE, H. *The stress of Life. Revised edition*. New York: McGraw-Hill, 1984, p. 515.

SEEMAN, T. E.; DUBIN, L. F.; SEEMAN, M. *Religiosity/Spirituality and Health*: a critical review of the evidence for biological pathways. American Psychologist, v. 58, n. 1, p. 53-63, 2003.

SENNETT, R. *A corrosão do caráter*: o desaparecimento das virtudes com o novo capitalismo. Tradução de Marcos Santarrita. 1ª ed. Rio de Janeiro: Best bolso, 2012, p. 190.

SILVA, M. J. P. da; BELASCO JÚNIOR, O. *Ensinando o toque terapêutico*: relato de uma experiência. Revista Latino-americana de Enfermagem. Ribeirão Preto, v. 4, n. especial, p. 91-100, abr., 1996.

SILVA, M. dos S.; ZANELO, V. M. *Religiosidade e loucura*: a influência da religião na forma como o "doente mental" enfrenta a doença. Psicologia IESB, v. 2, n. 1, p. 37-47, 2010.

SILVA, R. R. da; SIQUEIRA, D. *Espiritualidade, religião e trabalho no contexto organizacional*. Psicologia em estudo, v. 14, n. 3, Maringá, jul./set, 2009.

SILVEIRA, F. M. DA. Espiritualidade e psiquiatria: atenção à saúde mental na dimensão psicossocial e espiritual. Revista Científica *Cognitus*. v. 4, n. 2, 2021. Disponível em: < https://cognitioniss.org/2021/09/13/10-38087-2595-8801-92/>. Acesso em: 3 de março de 2022.

SIMON, C. E.; CROWTHER, M.; HIGGERSON, H. K. *The Stage-Specific Role of Spirituality Among African American Christian Women Throughout the Breast Cancer Experience*. Cultural Diversity and Ethnic Minority Psyichology, v. 13, n. 1, p. 26-34, 2007.

SIQUEIRA, V. L. *Razão e Fé*: estudo do grupo de oração como prática complementar na promoção à saúde. 2007. 94 f. Dissertação (Mestrado em Enfermagem) – Universidade Federal do Rio Grande do Norte, Natal, 2007.

SOEIRO, R. E. et al. *Religião e transtornos mentais em pacientes internados em um hospital geral universitário*. Caderno de Saúde Pública. Rio de Janeiro, v. 24, n. 4, p. 793-799, abr., 2008.

Sociedade brasileira de cardiologia/sociedade brasileira de hipertensão/ sociedade brasileira de nefrologia. Vi diretrizes brasileiras de hipertensão. Arq. Bras. Cardiol, v. 95, p. 1-51, 2010. Suplemento,1.

SOUSA, M. S. *Estresse, qualidade de vida e religiosidade em estudantes de enfermagem*: modulação dos parâmetros imunológicos, cardíacos e bioeletrográficos pelo relaxamento induzido. 2009. 147 f. Dissertação (Mestrado em Ciências das religiões) – Universidade Federal da Paraíba – UFPB, João Pessoa, 2009.

SOUZA, D. de O. *O papel da espiritualidade no processo de saúde do indivíduo renal crônico*. 2018. 83 f. Dissertação (Mestrado em Ciências das Religiões). Faculdade Unida, Vitória, 2018.

STRAWBRIDGE, W. J. et al. *Frequent attendance at religious services and mortality over 28 Years*. American Journal of Public Health., v. 87, n. 6, p. 957-961, jun., 1997.

TOMAZ, H. C. et al. Síndrome de Burnout e fatores associados em profissionais da Estratégia Saúde da Família. Interface: comunicação, saúde, educação. Botucatu, v. 24 (suplemento 1), 2020. Disponível em: https:// www.scielo.br/j/icse/a/dphvYH39MprDY7LmfCP886J/?format=pdf&lang=pt. Acesso em: 5 de março de 2023.

TOSTA, C. E. Prece e cura. In: TEIXEIRA, E. F. B.; MÜLLER, M. C.; SILVA, J. D. T. da (Orgs.). *Espiritualidade e qualidade de vida*. Porto Alegre: EDIPUCRS, 2004, p. 105-124.

TESSER, C. D.; BARROS, N. F. *Medicalização social e medicina alternativa e complementar*: pluralização terapêutica do Sistema Único de Saúde. Revista de Saúde Pública. Florianópolis, v. 42, n. 5, p. 914-920, 2008.

VAILLANT, G. E. *Fé*: evidências científicas. Tradução de Isabel Alves. Barueri, SP: Manole, 2010.

VALE, N. B. *Analgesia adjuvante e alternativa*. Revista Brasileira de Anestesiologia. Campinas, v. 56, out., 2006. Disponível em: <http://www.scielo.br/scielo.php?script=sci_arttext&pid=S0034709420060005000012&lng=en&nrm=iso>. Acesso em: 31 de maio de 2011.

VANDERLEI, A. C. Q. *Espiritualidade na saúde*: Levantamento de evidências na literatura científica. 2010. 121 f. Dissertação (Mestrado em Ciências das Religiões) Universidade Federal da Paraíba, João Pessoa.

VAN THUAN, F. X. N. O povo da esperança. In: ARAÚJO, A.; PINTO, R. (Orgs.). *Eucaristia*: caminho para uma nova humanidade. Vargem Grande Paulista, SP: Cidade Nova, 2010, p. 81-90, (coleção em busca da fé).

VASQUES, C. I.; SANTOS, D. S. dos; CARVALHO, E. C. de. *Tendências da pesquisa envolvendo o uso do toque terapêutico como uma estratégia de enfermagem*. Revista ACTA Paulista de Enfermagem. São Paulo, v. 24, n. 5, p. 712-714, 2011.

WALLACE, B. A. *Mente em equilíbrio*: a meditação na ciência, no budismo e no cristianismo. Tradução de Mário Molina. São Paulo: Cultrix, 2011, p. 272.

WETTSTEIN, M. F. Bioética e restrições alimentares por motivações religiosas: tomada de decisão frente ao tratamento de saúde. 2010. 55 f. Dissertação (Mestrado em Ciências Médicas) – Faculdade de Medicina, Universidade Federal do Rio Grande do Sul, Porto Alegre, 2010.

YANEK, L. R. et al. *Project Joy*: faith based cardiovascular health promotion for african american women. Public Health Reports, v. 116, 2001. Supplement, 1.

YEPES, H. D. *Como prevenir e controlar o estresse*: síndrome do século XXI. 3ed. São Paulo: Paulinas, 2003, p. 76.

YEUNG, W. J.; CHAN, Y. *The positive effects of religiousness on mental health in physically vulnerable populations*: A review on recent empirical studies and related theories. International Journal of Psychosocial Rehabilitation, v. 11, n. 2, p. 37-52, 2007. Disponível em: < http://www.psychosocial.com/IJPR_11/Positive_Effects_of_Religiousness_Yeung_Jerf.html > Acesso em: 27 de abr. 2013.

Índice

Prefácio 7
Apresentação..11
Introdução..15

1. A medicina e a física quântica 19
Introdução...19
Teorias científicas que justificam a não localidade 20
Observador e objeto: novas formas de enxergar
o campo de estudo 22
O salto quântico para a cura 26
Concluindo o capítulo 27

2. Relacionamento individual com Deus/*coping* 29
Introdução...29
Reflexos do *coping* religioso sobre a saúde dos indivíduos 30
A Religião como forma de enfrentamento do estresse 32
Estudo desenvolvido com amostra
de indivíduos hipertensos...35

**3. A importância da religiosidade/espiritualidade
para a saúde das pessoas** 39
Introdução...39
Espiritualidade...40
Religiosidade..41
A saúde e o surgimento das doenças 42
A religiosidade e a saúde 47
Religiosidade e saúde mental 47
Religiosidade e câncer 49
A religiosidade influenciando o corpo por inteiro 50
Relacionar-se com Deus para ter saúde..52
Efeito da religiosidade sobre o aparelho cardiovascular 53
Concluindo o capítulo 57

4. A meditação 59
Introdução 59
Maneiras diferentes de meditar 61
   Visualização dirigida 61
   Respiração consciente 62
   Bocejar profundamente 62
   Resposta de relaxamento 62
   Relaxamento muscular progressivo 63
   Meditação com vela 63
   Oração centrante 63
   Meditar caminhando 63
   Otimização da memória 64
   Sentando-se com os demônios 64
   Briga imaginária 64
   Envio de gentileza e perdão aos outros 64
      Prestando atenção no sopro da vida 64
      A união de quietude e movimento 64
      Contemplar a luz da consciência 65
      Sondando a natureza do observador 66
      Percepção oscilante 66
      Repousando na serenidade da percepção 66
      O vazio da mente 66
      O vazio da matéria 66
      Repousando em consciência intemporal 67
      Meditação em ação 67
A meditação diante do Santíssimo Sacramento 68
A resistência neural à meditação 69
Estudo desenvolvido com amostra de pacientes hipertensos 69
Efeitos da meditação sobre a saúde 70
Restrições à meditação 71
Concluindo o capítulo 72

5. Toque Terapêutico (TT):
   a cura ao alcance de nossas mãos 73
Introdução 73
Força vital e polaridade 74

Histórico 75
Tipos de terapia do toque 76
Toque terapêutico 76
A causa da doença 77
O paciente se transformando em curador 79
Efeitos do toque terapêutico sobre a saúde 80
Pacientes especiais 83
Princípios e atitudes 84
   Princípio da polaridade 84
Modulação e transferência da energia humana 85
O toque terapêutico usado no diagnóstico 85
Movimentos específicos e centros energéticos do corpo 86
Círculo de polaridade 86
Concluindo o capítulo 87

6. Suporte social e frequência aos cultos: estratégias de promoção à saúde 89
Introdução 89
Apoio ou suporte social promovido
   nas diversas afiliações religiosas 90
A frequência aos cultos 94
Concluindo o capítulo 97

7. A prece ou oração 99
Introdução 99
Tipos de oração 100
Preparação para a oração 101
Pesquisa envolvendo pacientes hipertensos 102
A importância da oração para a saúde
   de acordo com a literatura 103
Oração para obter saúde de mente, corpo e espírito 104
A intercessão 105
O terço ou rosário 108
Deus ouve nossas preces 109
Concluindo o capítulo 113

8. Alimentos espirituais: a Comunhão e as Escrituras Sagradas 115
Introdução 115
A Eucaristia 116
A adoração da hóstia consagrada 117
Estudo com hipertensos 118
Milagres da Eucaristia 119
A Eucaristia e a evolução humana 120
A leitura de textos sagrados ou religiosos 121
Estudando a importância dos textos sagrados para a saúde 123
Concluindo o capítulo 125

9. A consulta clínica com abordagem religiosa 127
Introdução 127
A espiritualidade e os profissionais de saúde 128
Os serviços de capelania 136
A espiritualidade como ferramenta nos processos
de reabilitação de pacientes 136
Você está passando por algum problema? 138
Olhar para o paciente 140
Concluindo o capítulo 140

10. Perdão e altruísmo: sua relação com a saúde 141
Introdução 141
Estudando os benefícios do perdão 142
O altruísmo como fonte de saúde 145
Concluindo o capítulo 147

11. A religião influenciando o estilo de vida 149
Introdução 149
A dieta alimentar e a religiosidade 150
O efeito protetor da religiosidade sobre o uso
de substâncias lícitas e ilícitas 142
A religiosidade e o hábito de fazer exercícios 153
Concluindo o capítulo 156

12. A religiosidade e o humor: suas relações com a saúde 157
Introdução 157
A fé e os sistemas do corpo humano 157
As influências da vida moderna sobre o humor e a saúde 160
As emoções e a saúde 162
A religiosidade e sua influência sobre o humor 163
Concluindo o capítulo 166

13. O homem como ser espiritual 167
Introdução 167
O corpo humano e o sagrado 167
Corpo, alma e espírito: o homem em sua essência 172
Falando sobre Deus 172
Concluindo o capítulo 174

Considerações finais 177

Referências bibliográficas... 179

Este livro foi composto com as famílias tipográficas Avenir,
Calibri e Minion Pro e impresso em papel Pólen soft 70g/m² pela **Gráfica Santuário.**